A1-A2

Recursos gratis p

campus

Curso de español basado en el enfoque por tareas

Ernesto Martín Peris
Pablo Martínez Gila
Neus Sans Baulenas

Autores
Ernesto Martín Peris
Pablo Martínez Gila
Neus Sans Baulenas

Asesoría pedagógica
Carolina Domínguez

Asesores internacionales
Myriam Pradillo Guijarro, Instituto Cervantes de Bremen, Alemania; Javier Navarro Ramil, IC Hamburgo, Alemania; Carmen Pastor Villalba, Instituto Cervantes de Múnich, Alemania; Carmen Ramos Méndez, Hochschule für Angewandte Sprachen, Múnich, Alemania; Mercedes Rodríguez Castrillón, Universidad de Würzburg, Alemania; Eleonora Pascale Val, Instituto Cervantes de Sao Paulo, Brasil; Anna Sanvisens Farràs, Naciones Unidas, EE. UU; Silvia Canto Gutiérrez, Universidad de Utrecht, Holanda; Judith Gil Clotet, Instituto Cervantes de Nápoles, Italia; Juan Ramón García-Romeu Díaz, Instituto Cervantes de Praga, República Checa; Àngels Ferrer Rovira, Aurora Navajas Algaba, Carolina Domínguez Durán, Instituto Cervantes de Belgrado, Serbia

Coordinación editorial y redacción
Sergio Troitiño y Pablo Garrido

Diseño y dirección de arte
NATURAL, Juan Asensio

Maquetación
NATURAL

Ilustraciones
Pere Virgili, Àngel Viola (págs. 9, 17, 26, 30, 33, 68, 88 y Autoevaluación), Alejandro Milà (págs. 8, 18, 23, 38, 43, 50, 53, 89, 102, 104, 108, 110, 119), Pere Arriaga, Angels Soler

Corrección
Alba Vilches

Fotografías
Unidad 1 pág. 8 Kota, pág. 14 pág. Alberto Perdomo/Flickr, archer 10 (Dennis)/ Flickr, Nouhailler/Flickr 15, Edgar Claros Franetovic/Wikimedia Commons, Heather Cowper/Flickr, Nellu Mazilu/Wikimedia Commons, pág. 15 theDLC/Flickr, Reindertot/Flickr, BocaDorada/Flickr, politiken.dk, premiosnacionales.gob.ar, biblioelortondo.blogspot.com, diversomagazine.com, montanita.com, todotele. com, **Unidad 2** pág. 18 Kota, Ignacio Saco, págs. 34 y 35 Federica Dimatteo, **Unidad 3** pág. 28 Surfglassy/Flickr, Victor Zastol`skiy/Dreamstime, Serban Enache/Dreamstime, Maggiori-Zarlenga/Photaki, Album, pág. 29 ngenespanol. com, hoteles.com, **Unidad 4** pág. 38 Kota, pág. 45 Andrés Rueda/Flickr, Alexmax/ Dreamstime, Marilyn Gould/Dreamstime, Oleksandr Kalyna/Dreamstime, Aurinko/Dreamstime, Kingstars11/Dreamstime, Nireus/Dreamstime, **Unidad 5** pág. 48 Kota, Antonio Guillem/Dreamstime, **Unidad 6** pág. 58 Matias-Garabedian/Flickr, Bernat Rueda, Gonmi/Flickr, Rafael Ángel Irusta Machín/ Photaki, Gonmi/Flickr, pág. 64 sabor-umami.com, **Unidad 7** pág. 68 Rafael Ángel Irusta Machín/Photaki, Wavebreak Media/Photaki, pág. 76 clasianuncios. com, Plus69/Dreamstime, **Unidad 8** pág. 78 Hotel Rosalía/Flickr, gaelx/Flickr, Google Maps, pág. 85 Photochris/Dreamstime, Ggpalms/Dreamstime, **Unidad 9** pág. 88 carlosfpardo/Flickr, Leandros World Tour/Flickr, DavidBerkowitz/Flickr, Malatesta87/Flickr, pág. 90 Justin Black/Dreamstime, pág. 92 equitativa, pág. 94 Rmarxy/Dreamstime, Olha Rohulya/Dreamstime, pág. 95 Uli Danner/Dreamstime, Néstor Carrasco/Wikimedia Commons, Tupungato/Dreamstime, pág. 96 Tonylivingstone/Dreamstime, **Unidad 10** pág. 98 Album, coleccionescaballero.com, picstopin.com, José Nieto Márquez, pág. 99 Grueneman/Flickr, Koi88/Dreamstime, Aspect3d/Dreamstime, fsochoa.es, diariofemenino.com, pág. 105 hoycinema.com, extracine.com, **Unidad 11** pág. 108 Emilia Conejo, habitacionmadrid.com, horizon. remax.es, m_martin_vicente/Flickr, pág. 113 Google Maps, **Unidad 12** pág. 118 Armand Mercier, Neus Sans Baulenas. **Cubierta** Kota, excepto: Ingrampublishing/ Photaki, Adolfo López/Photaki, Ingrampublishing/Photaki, IS2/Photaki, Silvana Tapia Tolmos, Séverine Battais, Ignacio Saco, Neus Sans Baulenas, Saul Tiff, sodaniechie/Flickr, noticiasusodidactico.com, Wikimedia Commons, Joan Sanz/ Difusión, www.foroxerbar.com, vagabondjourney.com, Ludovica Colussi, Juan Asensio, Difusión, Luis Luján, García Ortega, Claudia Zoldan, Edith Moreno, Emilio Marill, Sergio Troitiño

Textos
© Gabriel García Márquez, fragmento de *Cien años de soledad* (pág. 125)

Locuciones
Difusión, Estudios 103, CYO Studios. **Locutores:** Silvia Alcaide, España; Maribel Álvarez, España; José Antonio Benítez Morales, España; Ana Cadiñanos, España; Fabián Fattore, Argentina; Laura Fernández Jubrias, Cuba; Montserrat Fernández, España; Agustín Garmendia, España; Paula Lehner, Argentina; Oswaldo López, España; Gema Miralles Esteve, España; Pilar Morales, España; Lourdes Muñiz, España; Pepe Navarro, España; Begoña Pavón, España; Albert Prat, España; Arnau Puig, España; Mª Carmen Rivera, España; Felix Ron da Rivero, Cuba; Rosa María Rosales Nava, México; Amalia Sancho Vinuesa, España; Neus Sans Baulenas, España; Clara Segura Crespo, España; Víctor J. Torres, España; Lisandro Vela, Argentina; María Vera, España; Carlos Vicente, España; Armand Villén García, España. **Música:** Difusión, Juanjo Gutiérrez. **Efectos sonoros:** Freesound.org (sascha-burghard, bmoreno, mario1298, hcamilo)

Agradecimientos
Séverine Battais, Albert Borràs, Ana Campos, Ludovica Colussi, Ana Escourido, Isabel García, Oscar García, Xavier Guitart, Javier González Lozano, Ana Teresa Herrero, Tere Liencres, Luis Luján, Javier Llano, Carmen Mora, Edith Moreno, Yeray Nauset, Chitina Pozuelo, Xavier Quesada, Laia Sant, Marta Sanahuja, Demetrio Sánchez, Silvana Tapia Tolmos

ISBN (versión internacional): 978-84-15620-79-2
ISBN (versión Talenland): 978-94-6325-0061
Reimpresión: agosto 2019
Impreso en España por Novoprint

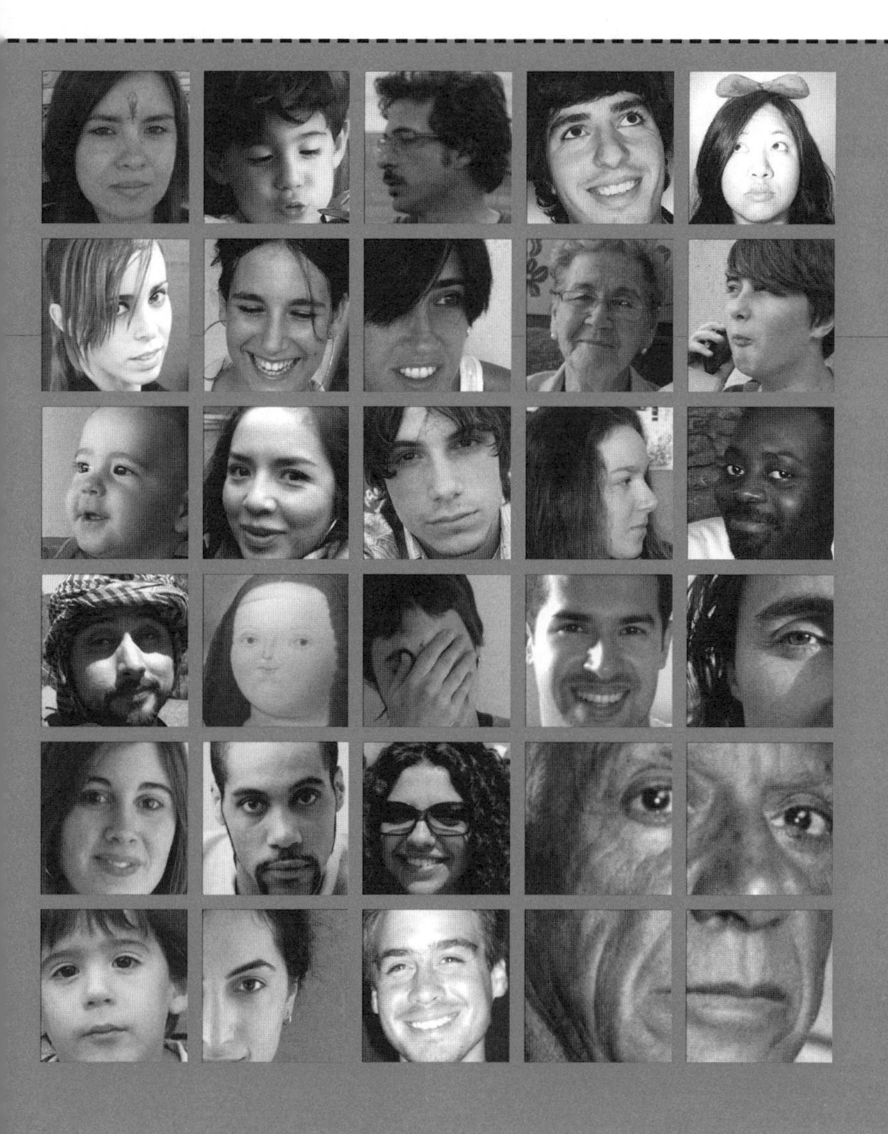

Este Libro de trabajo tiene como finalidad primordial consolidar los conocimientos y las destrezas lingüísticas que se han desarrollado con las actividades del Libro del alumno, del cual es complemento imprescindible. Para ello proporciona ejercicios, en su mayor parte de ejecución individual, centrados en aspectos particulares del sistema lingüístico (fonética, morfosintaxis, vocabulario, ortografía, estructuras funcionales, discursivas y textuales, etc.) que se practican en las actividades del Libro del alumno.

La experiencia de miles de usuarios en las ediciones anteriores y sus valoraciones de este Libro de trabajo como una herramienta tan importante como el Libro del alumno nos han permitido mejorar tanto los contenidos como el diseño gráfico de esta nueva versión de **gente**.

gente hoy

cómo funciona gente hoy

Libro de trabajo

PÁGINA DE ENTRADA

Esta página ofrece una visión de conjunto de los ejercicios de la unidad y sus objetivos, así como una actividad para activar el vocabulario que vas a necesitar durante la secuencia de aprendizaje.

89-99

Estos iconos te informan sobre el tipo de trabajo que te propone el ejercicio: hablar con los compañeros, escuchar una grabación, tomar notas, elaborar una producción escrita o buscar en internet.

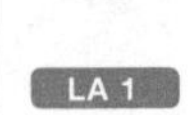

También hay un recurso de referencia a las actividades del Libro del alumno.

"Primeras palabras" es un ejercicio para activar los conocimientos sobre el vocabulario de la unidad.

Aquí se encuentra la lista de todos los ejercicios de la unidad y el principal contenido de aprendizaje de cada uno.

EJERCICIOS

En estas páginas se presentan numerosos ejercicios pensados para ayudarte a practicar los contenidos (gramaticales, léxicos, comunicativos, pragmáticos, etc.) y las habilidades lingüísticas propuestos en el Libro del alumno.

Cómo trabajar con estas páginas

- Casi todos los ejercicios los puedes realizar de manera individual, escogiendo aquellos que te ayudan a profundizar en las propuestas del Libro del alumno.
- Algunos ejercicios los puedes hacer en clase con tus compañeros de curso.

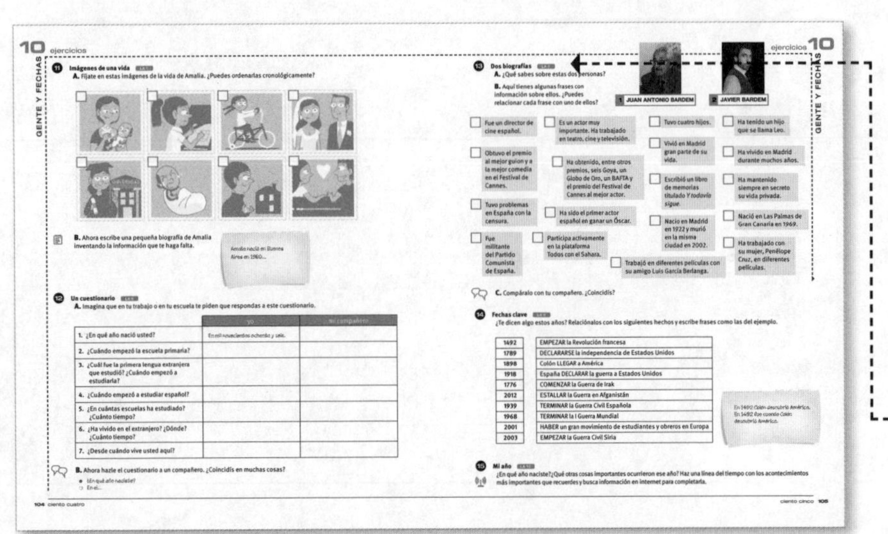

Los ejercicios incorporan un recurso que indica a qué actividades del Libro del alumno complementan.

AGENDA

La doble página final de la unidad se relaciona con los objetivos del Portfolio europeo de las lenguas (PEL), ya que aborda tanto aspectos estratégicos de la comunicación como de control del aprendizaje.

En esta sección se ofrecen trucos y estrategias para mejorar las habilidades de comunicación en español y el propio proceso de aprendizaje.

Se invita al estudiante a valorar sus progresos, así como su actitud respecto a las ocasiones de aprendizaje.

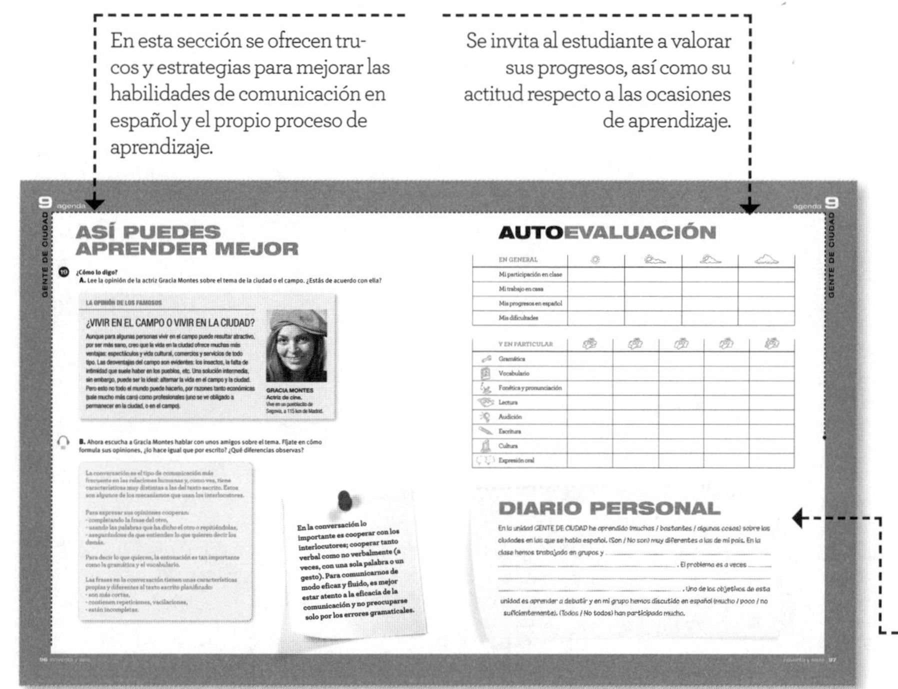

Con pequeñas propuestas de reflexión sobre los contenidos de la unidad, podrás ser más consciente de lo que aprendes.

Cómo trabajar con estas páginas

- Sigue los trucos; te ayudarán a aprender más y enfrentarte mejor a las situaciones reales de comunicación.
- Ten en cuenta que no solo es importante aprender lengua, sino también aprender a ser un mejor aprendiz de lenguas.

GENTE QUE LEE

Al final del libro se encuentra la novela-cómic *Gente que lee*. Los 12 capítulos progresan en relación con cada una de las unidades del libro.

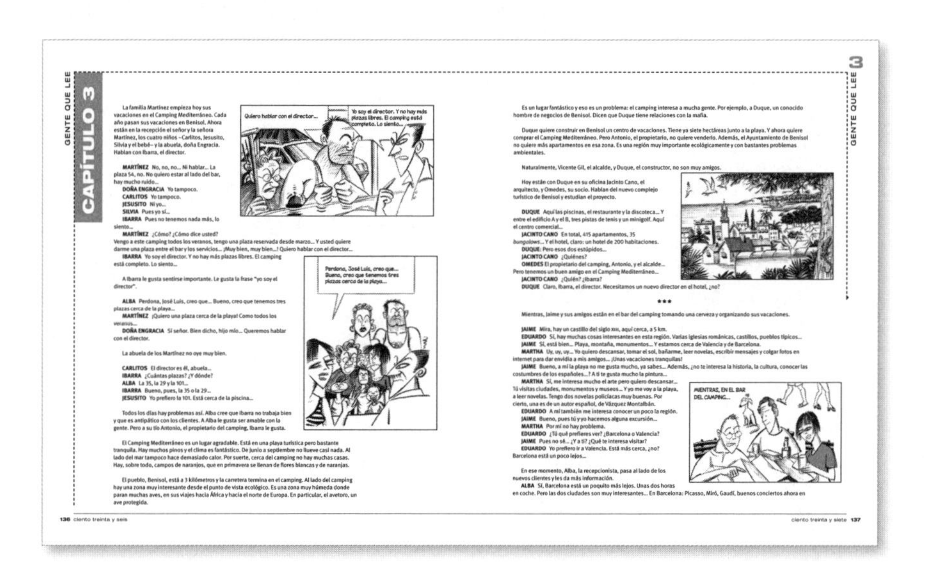

Cómo trabajar con estas páginas

- Puedes leer un capítulo al finalizar la unidad correspondiente.
- No te preocupes por saber todas las palabras de la lectura: busca las más imprescindibles para captar el significado general.

Recursos gratis para estudiantes y profesores

1. gente que estudia **español** p. 8

2. gente con **gente** p. 18

3. gente de **vacaciones** p. 28

4. gente de **compras** p. 38

5. gente en **forma** p. 48

6. gente que come **bien** p. 58

7. gente que trabaja p. 68

8. gente que viaja p. 78

9. gente de ciudad p. 88

10. gente y fechas p. 98

11. gente en casa p. 108

12. gente e historias p. 118

gente que lee p. 128

1 gente que estudia español

1

2

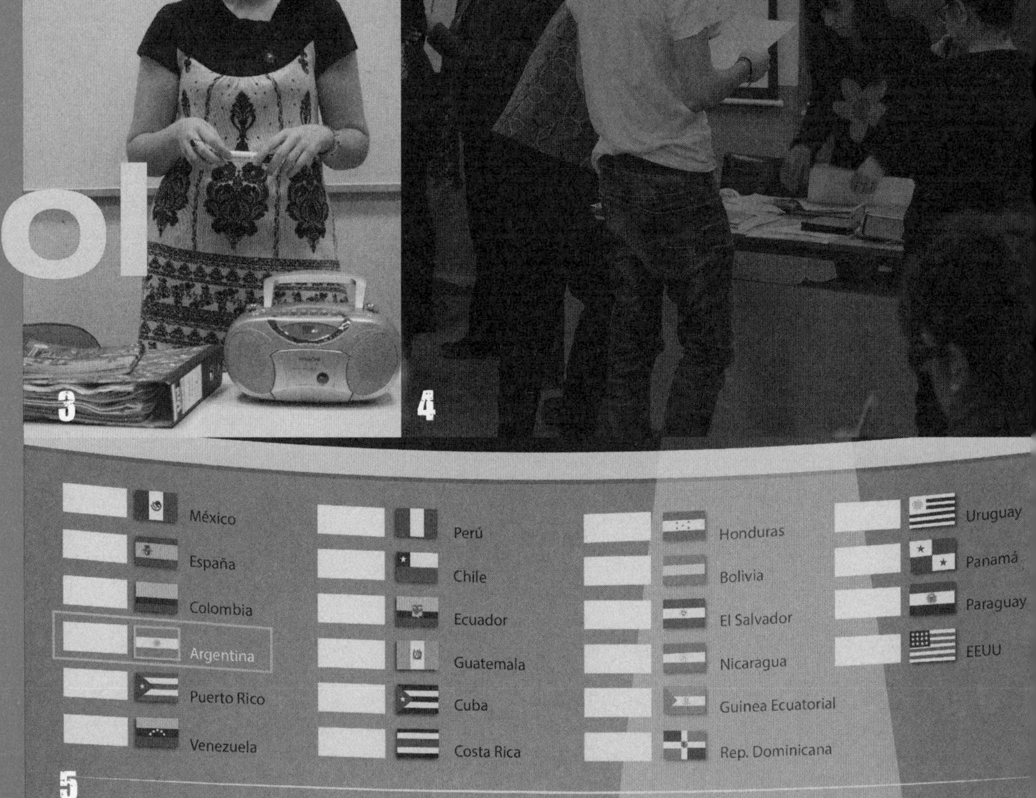

3 4 5

á = tilde / tilt = raise voice   h = silent   Canadá canadiense   Estado Unidense.   US ≠ America   bc = continent

1 Primeras palabras

A. Aquí tienes algunas palabras útiles para esta primera unidad. ¿Las conoces? ¿Puedes relacionarlas con las imágenes?

escribir .... leer .... escuchar .... hablar ....
teléfono .... libreta .... nombre .... país ....
clase .... número .... profesor .... pizarra ....

B. ¿Conoces otras palabras en español que puedan ser útiles para esta unidad? Escríbelas en tu cuaderno.

2 Nombres y apellidos LA 1

Vas a escuchar a una persona que lee una lista de nombres. Marca la casilla correspondiente (√).

01

Cobos	Castaño	Miguel	María José	José María	Flores	Aguirre	Vázquez	Isabel	Domínguez	Pujante	
											Nombre
√											1.er apellido
											2.º apellido
											No está en la lista

3 Apellidos LA 2

02

A. ¿Qué apellido deletrean? Escucha y marca la respuesta con el número correspondiente.

B. Piensa en los apellidos más frecuentes en tu país. Vas a deletrear tres apellidos a dos compañeros.

Apellidos

1. ....
2. ....
3. ....

4 Intereses LA 3

A. Mira la lista de temas de la página 20 del Libro del alumno. Agrupa esos temas en estas tres listas según tus propios intereses. ¿Hay otros temas que te interesan especialmente? Puedes usar el diccionario.

Para mí, esto es muy interesante:

....
....
....
....

Para mí, esto es interesante:

....
....
....
....

Para mí, esto no es interesante:

....
....
....
....

B. Ahora habla con tus compañeros de clase. Busca a una persona con cinco intereses similares.

- *¿Qué es interesante para ti?*
- *Para mí, la naturaleza, las...*

5 En español LA 4

A. Seguro que conoces algunas palabras y expresiones en español. Escribe frases para decir su significado en tu lengua o en otras. Después coméntalo con tus compañeros.

gracias | adiós | mañana | chica | amigo | agua | ...

Adiós significa "good bye", "au revoir"...

B. Probablemente, quieres saber cómo se dicen otras cosas en español. Escribe las preguntas para tu profesor o tus compañeros de clase.

¿Cómo se dice en español "to fall in love"?

6 Sorteo LA 4

03

Vas a escuchar una serie de números. Marca (X) los que escuchas.

2 ~~90 521~~

2
70 943
26 500
47 658
00 561

3
09 542
53 682
78 023
56 091

4
38 294
56 091
08 210
47 352

7 a, be, ce... LA 4

04

Vas a escuchar estas palabras deletreadas. Escribe el orden en el que las oyes.

[1] playa	[ ] naturaleza	[ ] gente	[ ] fiesta
[ ] monumento	[ ] ciudad	[ ] ocho	[ ] política

8 Países LA 4

05

En los nombres de estos países faltan las vocales (**a**, **e**, **i**, **o**, **u**). ¿Puedes completarlas? Después, escucha la audición para comprobar que lo has hecho bien. Por último, repite en voz alta los nombres, poniendo mucha atención a la pronunciación de las vocales.

1. G.U..A.T.E.M.A.L.A
2. N.I.C.A.R.A.G.U.A.
3. P.A.R.A.G.U.A.Y
4. U.R.U.G.U.A.Y
5. M.E.X.I.C.O.
6. P.E.R.U.
7. P.U.E.R.T.O. R.I.C.O.
8. E.L S.A.L.V.A.D.O.R
9. E.C.U.A.D.O.R

9 ¿Es una pregunta? LA 5

06

Escucha las frases de estas dos listas. Si la frase es una pregunta, escribe los dos signos de interrogación (**¿ ?**), como en la primera. Si es una frase afirmativa, escribe punto final (**.**).

.¿. Esto es un libro .?.
.... Esto es un bolígrafo ....
.... Esto es una clase ....
.... Esto es una pizarra ....
.... Esto es una silla ....

.... Esto es una mesa ....
.... Esto es Ecuador ....
.... Esto es Cuba ....
.... Este es Carlos Gardel ....
.... Este es Picasso ....

.... Esta es Shakira ....
.... Esta es Gloria Estefan ....
.... Este es Salvador Allende ....
.... Esta es Frida Kahlo ....
.... Este es Juan Diego Flórez ....

Esto es, este es... LA 5

07

A. Verónica le enseña las fotos de sus vacaciones a Javier, un amigo.
¿De qué foto habla en cada caso? Escucha y marca (√).

B. Estas son las frases del apartado anterior. Observa las frases y completa el cuadro con las formas **este**, **esta**, **estos**, **estas** y **esto**.

- Mira, **este** es Julián.
- Y **esto** es Pedraza.
- **Estos** son María y Andrés.
- Y **esta** es Charo, la hermana de Julián.
- **Estos** son Jesús y Fermín.
- Y **estas** tres somos Charo, Julia y yo.

- Cuando Verónica habla de un hombre, usa ....
- Cuando habla de una mujer, usa ....
- Cuando habla de hombres o de hombres y mujeres, usa ....
- Cuando habla de mujeres, usa ....
- Cuando habla de una cosa o un lugar, usa ....

11 Preguntas de clase

Relaciona los elementos de las dos columnas.

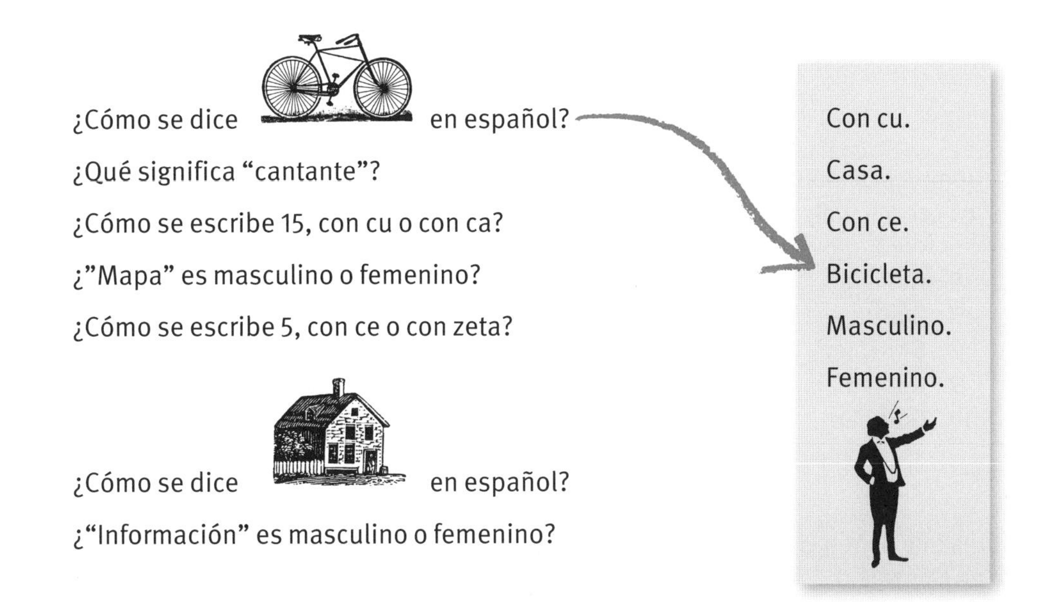

¿Cómo se dice [bicicleta] en español?
¿Qué significa "cantante"?
¿Cómo se escribe 15, con cu o con ca?
¿"Mapa" es masculino o femenino?
¿Cómo se escribe 5, con ce o con zeta?
¿Cómo se dice [casa] en español?
¿"Información" es masculino o femenino?

Con cu.
Casa.
Con ce.
Bicicleta.
Masculino.
Femenino.

12 Sustantivos LA 6

A. Observa estas palabras, ¿son nombres masculinos o femeninos? Indícalo con **m** o **f**. Después escribe el artículo correspondiente: **el** o **la**.

f	..la.. playa		...... libreta		...... política		...... mano
	...... clase		...... comida		...... paisaje		...... cultura
	...... monumento		...... tradición		...... negocio		...... fiesta

B. Ahora escribe los nombres y los artículos en plural.

13 Necesito un número LA 7

08-12

Vas a escuchar a cinco personas que piden un número de teléfono al servicio de información. Apunta el número de teléfono a continuación del nombre.

1. Pedro Pérez Martín ....
2. Marcos Martínez Paz ....
3. Mario Mas Pérez ....
4. Milagros Martín Martín ....
5. Paula Mínguez Peralta ....

14 Sonidos LA 8

13

A. En esta unidad has visto nombres de países del mundo hispano. Has visto también nombres y apellidos españoles. Ahora vas a leer y a escuchar algunos más. Completa las letras que les faltan.

1. **J**aime	6. **Gu**inea	11. Ar _ _ ntina	16. _ _ rcía
2. **G**erardo	7. **Gu**erra	12. _ _ mez	17. Para _ _ ay
3. **G**il	8. **Go**nzález	13. _ _ vier	18. _ _ la
4. **J**osé	9. **Gu**atemala	14. _ _ _ vara	19. _ _ árez
5. **J**uan	10. **Ga**rgallo	15. _ _ adalajara	20. Ara _ _ n

B. Subraya ahora los nombres que tienen el sonido [χ] (como en **gente**) y encierra en un círculo los que tienen el sonido [g] (como en **González**).

15 ¿Cómo te llamas? LA 9

A. En esta conversación faltan las respuestas. Escoge la respuesta adecuada.

- ¿Cómo te llamas?
- ○ ....

☐ Salvador. ☑ Salvador Villa.

- ¿Salvador es tu nombre o tu apellido?
- ○ ....

☐ Es mi nombre. ☐ Es mi apellido.

- ¿Y cómo se escribe, con be o con uve?
- ○ ....

☐ Se escribe con uve. ☐ Se escribe con be.

- ¿Y Villa?
- ○ ....

☐ También con uve. ☐ También con be.

- ¿Cuál es tu número de teléfono?
- ○ ....

☐ Es el 948 29 35 46. ☐ Mi número de teléfono es 948 29 35 46.

- ¿Y tu dirección de correo electrónico?
- ○ ....

☐ Es Avenida de la Constitución, 50. ☐ Es salvavilla@dif.com

- Muy bien. Gracias.

B. Ahora escribe dos conversaciones similares. En la primera, con una persona que se llama Juana Arguedas. Para escribir la segunda conversación, inventa tú un nombre que suene español.

- ¿Cómo te llamas?
- ○ Juana Arguedas
- ...

16 ¿Y vosotros? LA 9

Coloca las formas de los verbos **ser** y **llamarse** y los pronombres personales donde sean necesarios.

1.
- .....Yo....... soy brasileño, ¿y vosotros?
- ○ Yo ...soy....... argentino, y .....ella....., italiana.

2.
- ¿Los señores Durán?
- ○ Sí, ... nosotros.
- ¿Sus nombres, por favor?
- ○ Yo me .... Eva, y .... , Pedro.

3.
- ¿Pablo Castellón?
- ○ Soy ....

4.
- Perdón, ¿Juan María Fuster?
- ○ .... él.
- ■ Sí, ... yo.

5.
- ¿Y cómo .... llamas?
- ○ Alberto, ¿y tú?
- .... , Elisa.

6.
- Ustedes .... los señores Ribas, ¿verdad?
- ○ Sí, y .... , Esmeralda Antón, ¿no?

17 **Más países** LA 10

¿Con qué país o con qué países asocias cada uno de los siguientes elementos? Puedes buscar información en internet.

UN GÉNERO MUSICAL

El bolero	La cumbia	La salsa
México, Cuba, Puerto Rico	....	....

UN PAISAJE

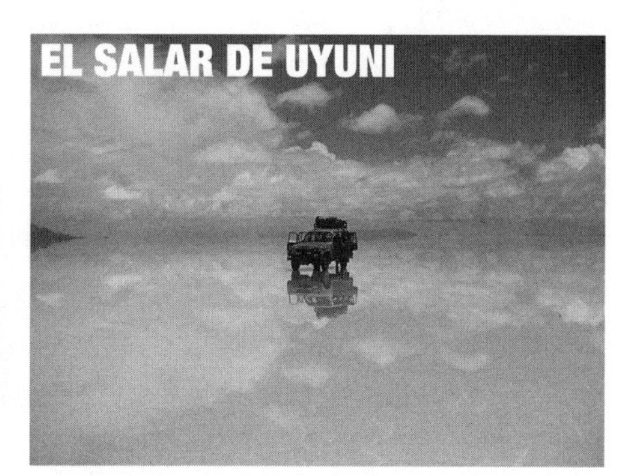

....

UNA BEBIDA

....

UN DIRECTOR DE CINE

Andrés Wood	Fernando Trueba	Alfonso Cuarón
....	....	....

UNA COMIDA

....

UN ESCRITOR

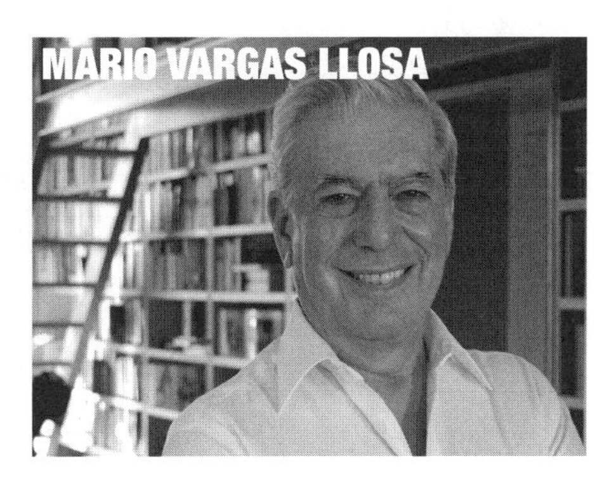

....

UN CANTANTE

....

ASÍ PUEDES APRENDER MEJOR

18 Palabras nuevas

A. Mira las últimas letras de estas palabras, no importa si no sabes su significado. ¿Son masculinas o femeninas? Escribe delante el artículo **el** o **la**.

la mesa
...... cantidad
...... escuela
...... juego
...... suerte
...... televisión
...... universidad
...... calle
...... medicina
...... teléfono
...... doctor
...... siesta
...... avión
...... comunicación
...... tren
...... café
...... madre
...... libro
...... autor
...... señor
...... profesor

B. Ahora, busca en un diccionario y comprueba. ¿Lo has hecho bien? Por último, intenta establecer una regla aproximada.

Los nombres terminados en	son generalmente: m. (masculinos)	f. (femeninos)	pueden ser m. o f.
-o			
-a			
-ción, -sión			
-dad			
-e			
-or			

En los ejercicios anteriores, tú has observado fenómenos de la lengua y has encontrado una regla. Si practicas este tipo de estrategias, aprenderás mejor y más deprisa. Aprendemos mejor lo que descubrimos por nosotros mismos.

AUTOEVALUACIÓN

EN GENERAL				
Mi participación en clase				
Mi trabajo en casa				
Mis progresos en español				
Mis dificultades				

Y EN PARTICULAR					
Gramática					
Vocabulario					
Fonética y pronunciación					
Lectura					
Audición					
Escritura					
Cultura					
Expresión oral					

DIARIO PERSONAL

Después de esta unidad puedo hablar del español en el mundo y de mis intereses en el español; sé cómo suenan los nombres y los apellidos en español. También puedo .... , ... , y .... Para mí, lo más interesante de GENTE QUE ESTUDIA ESPAÑOL son las actividades .... , ... , ... y .... ; lo menos interesante son las actividades .... , ... y .... Necesito hacer más ejercicios de (números / gramática / deletrear / ...) ....

2 gente con gente

1 Primeras palabras

A. En esta unidad te serán útiles estas **palabras**. ¿Conoces el significado de algunas? ¿Puedes relacionarlas con alguna de las imágenes?

madre .... hablar inglés .... familia .... hijo/a ....
simpático/a .... años .... soltero/a .... hablar español ....
jugar al tenis .... música .... profesión .... estudiante ....

B. Piensa en otras palabras que crees que pueden ser útiles para ti en relación con estos temas.

2 Números LA 1

14

Lee estos números en voz alta. Luego escucha, ¿qué cinco números dicen en las conversaciones?

☐ 24 ☐ 25 ☐ 35 ☐ 42 ☐ 49 ☐ 52 ☐ 58 ☐ 74 ☐ 85 ☐ 92 ☐ 93 ☐ 94

3 Lotería LA 1

15

A. Marca ocho números en este boleto y escríbelos con letras para no olvidarlos. Ahora escucha la grabación. ¡Suerte!

Mis números son: ....

....

....

....

....

10	11	12	13	14	15
16	17	18	19	20	21
22	23	24	25	26	27
28	29	30	31	32	33
34	35	36	37	38	39
40	41	42	43	44	45
46	47	48	49	50	

B. ¿Has tenido suerte? Escucha otra vez y escribe en tu libreta los números que no tienes.

4 ¿De quién hablan? LA 2

16

Escucha a estas personas, ¿de quién hablan? Fíjate bien en las terminaciones de los adjetivos. Atención: algunos adjetivos pueden corresponder a varias opciones.

1. Juan es: ....
....
....
2. Carolina es: ....activa....
....
....
3. Luis y Blanca son: ....
....
....
4. Julia y Carmen son: ....
....
....
5. Pablo y Javi son: ....
....
....

5 Es muy importante LA 2

A. Imagina que tienes que elegir a un compañero de trabajo. ¿Cómo valoras estas cualidades?

	1	2	3
Simpático			✓
Serio			
Sociable			
Travieso			
Inteligente			

	1	2	3
Trabajador			
Perezoso			
Amable			
Pedante			
Alegre			

	1	2	3
Callado			
Tímido			
Independiente			
Pesimista			
Optimista			

1 No es nada importante.
2 Es importante.
3 Es muy importante.

B. Ahora, ponlo en común con tus compañeros. ¿Estáis de acuerdo?

- *Yo creo que ser simpático es muy importante.*

Termina en -a LA 3

Ordena los adjetivos del ejercicio anterior en este cuadro según su terminación. Después busca ejemplos de adjetivos para el resto de terminaciones.

masculino singular	femenino singular	masculino plural	femenino plural
-o activo	**-a** activa	**-os** activos	**-as** activas ....
-or	**-ora**	**-ores**	**-oras** ....
-e		**-es**	
-ista		**-istas**	

Vive en la calle Picasso LA 4

Consulta los textos de las páginas 30 y 31 del Libro del alumno y escribe el nombre completo de cada persona.

a. Estudia en la universidad.
No está divorciada.
Hace deporte.
No toca el piano.

Nombre ....
Apellidos ....

b. No es soltera.
Trabaja en casa.
No es nada pedante.
Es mayor.
No baila flamenco.

Nombre ....
Apellidos ....

c. No está casado.
Toca un instrumento musical que no es la batería.
No es español.
No es nada antipático.

Nombre ....
Apellidos ....

d. Toca un instrumento musical que no es el piano.
No estudia en la universidad.
No es muy hablador.
No es soltero.

Nombre ....
Apellidos ....

Palabras que van juntas LA 4

A. En la actividad de la calle Picasso busca las expresiones que sirven para hablar de actividades y que funcionan con los siguientes verbos.

Tocar...	Jugar a...	Hacer...	Estudiar...
....	....	....	....
....	....	....	....
....	....	....	....

B. ¿Sabes cómo se dicen tus aficiones en español? Con la ayuda del diccionario, añade más palabras a cada verbo del apartado anterior.

9 Así son LA 4

Completa las descripciones con las siguientes palabras. Después, puedes mirar los textos de La gente de la calle Picasso para comprobar si lo has hecho bien.

trabajadora | española | tenis | periodista | estudia
argentino | cariñoso | colecciona | fotógrafo

Beatriz Salas Gallardo

Es ....

Es ....

Juega al .... y .... inglés.

Es muy ....

Jorge Rosenberg

Es ....

Es ....

.... sellos.

Es muy ....

10 Presentaciones LA 6

¿Puedes ayudar a estas personas a presentarse? Elige tú la informacion más adecuada para cada dibujo y escríbela en primera persona dentro de los globos.

- Son novios.
- Habla español, catalán, inglés, alemán y un poco de francés.
- Es traductora, pero está jubilada.
- Estudian arquitectura.
- Tiene 40 años.
- Habla español y un poco de inglés.
- Tiene 68 años.
- Habla inglés y español.
- Trabaja en un estudio de diseño.
- Son de Granada, pero estudian en Sevilla.
- Tiene 23 años.
- Se llaman Pepe y Celia.
- Se llama Julián y vive en Burgos.
- Se llama Marta.
- Vive en Barcelona, pero es de Zaragoza.
- Se llama Margaret y vive en Madrid.

¿Qué falta? LA 6

A. Coloca en este cuadro las formas de los verbos que has usado en el ejercicio anterior y complétalo después con las que faltan.

	ser	estudiar	hablar	llamarse
yo				
tú				
él, ella, usted				
nosotros/as				
vosotros/as				
ellos, ellas, ustedes				

B. Escribe cosas sobre tu familia y sobre ti. Puedes usar las formas del apartado anterior.

Mi padre...

Mi madre...

Unos tíos míos...

Y yo...

Esta es mi gente LA 6

A. Piensa en dos personas de tu entorno: familiares, amigos, compañeros de trabajo y vecinos. Completa las dos fichas, como en el ejemplo, con la información correspondiente.

Nombre: María
Apellidos: Jover Pino
Estado civil: soltera
Edad: 31
Profesión: trabaja en una empresa de informática
Aficiones: fotografía, teatro
Carácter: muy inteligente y muy activa
Relación contigo: vecina

Nombre: ....
Apellidos: ....
Estado civil: ....
Edad: ....
Profesión: ....
....
Aficiones: ....
Carácter: ....
....
Relación contigo: ....

Nombre: ....
Apellidos: ....
Estado civil: ....
Edad: ....
Profesión: ....
....
Aficiones: ....
Carácter: ....
....
Relación contigo: ....

B. Usa la siguiente conversación como modelo para preguntar a un compañero sobre sus dos sus fichas. Toma notas para escribir una pequeña descripción.

- ¿Cómo se llama?
- ○ María.
- ¿Es una amiga?
- ○ No, es una vecina.
- ¿Y cuántos años tiene?
- ○ 31.
- ¿Está casada?
- ○ No, soltera.
- ¿A qué se dedica?
- ○ Trabaja en una empresa de informática.
- ¿Y cómo es?

13 Un árbol genealógico LA 6

Lee la siguiente información sobre una familia. ¿Puedes completar su árbol genealógico?

- Elisa tiene tres hijos, dos hijos y una hija. También tiene cinco nietos.
- El abuelo se llama Tobías.
- Mario tiene dos hijos, un hijo y una hija.
- La mujer de Carlos se llama Teresa.
- Candela es la mujer de Mario.
- Ana no tiene hijos.
- El hijo de Candela es Jaime.
- La hermana de Jaime es Gala.
- Las niñas de Teresa se llaman Inés, Berta y Susana.
- El cuñado de Carlos se llama Luis.

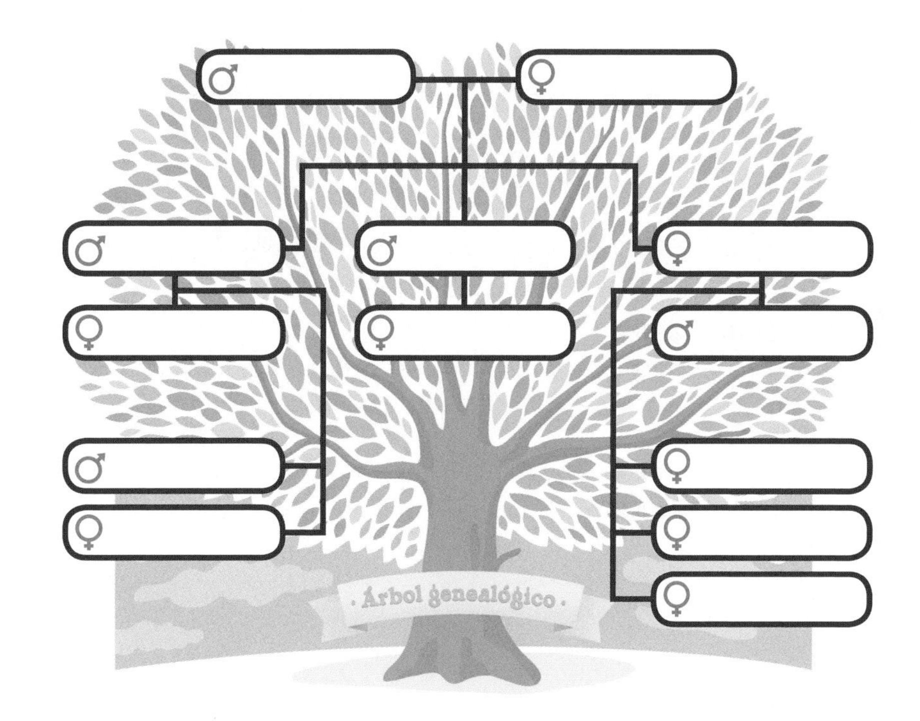

14 ¿De dónde son? LA 7

¿De dónde son estos famosos? Si no lo sabes, imagina una posible nacionalidad. En clase vamos a ver quién tiene más respuestas correctas.

Hergé: belga.
Carla Bruni: ....
Napoleón y Josefina: ....
Vladimir Putin: ....
Van Gogh: ....

Marlene Dietrich: ....
Haruki Murakami: ....
Kylie Minogue: ....
Shakira: ....
Neymar: ....

Beyoncé y Jay-Z: ....
Los Rolling Stones: ....
Paul McCartney: ....
Dolce & Gabanna: ....
Nelson Mandela: ....

15 Un juego de geografía LA 7

A. Piensa en un continente. ¿Cuántas nacionalidades de ese continente conoces? Escríbelas con la ayuda de un diccionario.

África: ....

América: ....

Asia: chino, camboyano, japonés ....

Europa: ....

Oceanía: ....

B. En tu libreta, escribe las nacionalidades del apartado anterior en su forma femenina plural.

16 Mi perfil LA 7

¿Puedes completar tu perfil? Después, escribe la información en un papel y dáselo a tu profesor. Otro estudiante puede leerlo en voz alta. El resto de la clase tiene que descubrir de quién se trata.

Perfil

tu foto

EDAD
Tengo .... años

ESTADO CIVIL
Soy
☐ soltero/a
☐ casado/a.
☐ viudo/a.
☐ divorciado/a.

CARÁCTER
Soy muy ....
Soy bastante ....
Soy un poco ....
No soy nada ....

IDIOMAS
Hablo ....
....

AFICIONES
....
....
....
....

fotos | guardar

17 Respuestas LA 8

17

Escucha las preguntas y señala (✓) cuál de las dos opciones es la respuesta adecuada.

a.
☐ No, yo soy periodista.
☐ Sí, trabaja en un banco.

b.
☐ Sí, inglés y francés.
☐ Sí, estudiamos idiomas.

c.
☐ Me llamo Laura, ¿y tú?
☐ Laura.

d.
☐ Estudio en la universidad.
☐ Es biólogo.

e.
☐ Carla, de Segovia, y yo, de Ávila.
☐ María, de Ávila, y Carla, de Segovia.

f.
☐ Sí. Ana, biología y yo, física.
☐ No, es camarero en un bar.

18 Preguntas LA 8

Mira estas respuestas. ¿Puedes escribir las preguntas correspondientes en cada conversación?

1.
- ● ....
- ○ No, Magdalena es bióloga y yo soy periodista.

2.
- ● ....
- ○ ¿Carlos? 30 o 32.

3.
- ● ....
- ○ Mi padre, Antonio y mi madre, Carmen.

4.
- ● ....
- ○ No, ¿y usted?

5.
- ● ....
- ○ Bueno, yo hablo un poco de inglés y Marta habla inglés y alemán.

¿Tú o usted? LA 8

Escribe las preguntas para estas respuestas.

Tú	Usted	Respuestas
•	•	○ Javier Odriozola.
•	•	○ 42.
•	•	○ En una escuela de idiomas.
•	•	○ Soy profesor.
•	•	○ Andaluz, de Granada.

¿Eso es una pregunta? LA 8

18

A. Lee los siguientes pares de frases, ¿tienen la misma entonación? Escucha y marca (√) la que oyes.

1.
- ☐ **a.** Se llama Raquel.
- ☐ **b.** ¿Se llama Raquel?

2.
- ☐ **a.** Es de Málaga.
- ☐ **b.** ¿Es de Málaga?

3.
- ☐ **a.** Tiene 18 años.
- ☐ **b.** ¿Tiene 18 años?

4.
- ☐ **a.** Trabaja en un banco.
- ☐ **b.** ¿Trabaja en un banco?

5.
- ☐ **a.** Vive en la Plaza Mayor.
- ☐ **b.** ¿Vive en la Plaza Mayor?

6.
- ☐ **a.** Son italianos.
- ☐ **b.** ¿Son italianos?

B. Escucha otra vez las frases. Intenta repetir la misma entonación.

C. Elige una de las frases y dísela a tu compañero. Él tiene que reconocer si es una pregunta o no.

Cosas en común LA 9

¿Qué tienen en común estas personas? Escribe diez frases. Intenta usar **el/la mismo/a** y **también**.

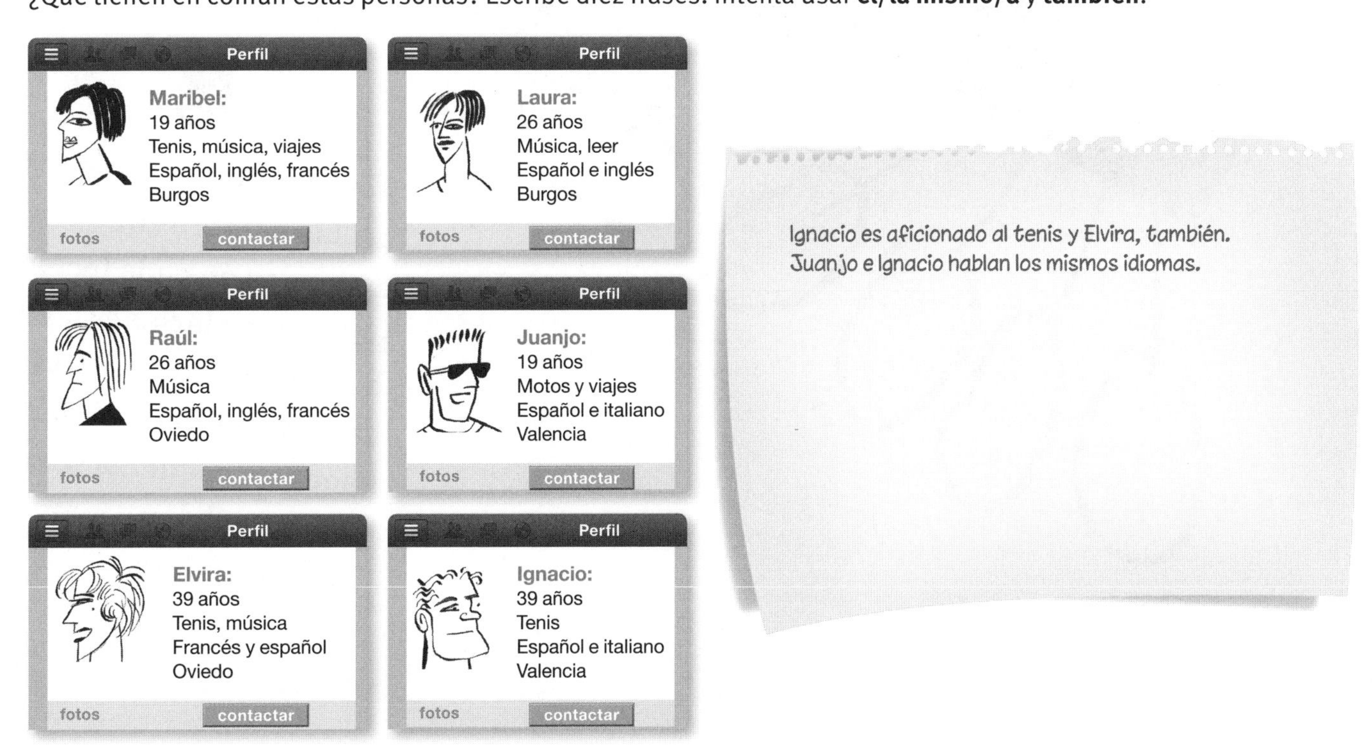

ASÍ PUEDES APRENDER MEJOR

Mis nuevas palabras

Completa este asociograma con palabras que has aprendido en esta unidad.

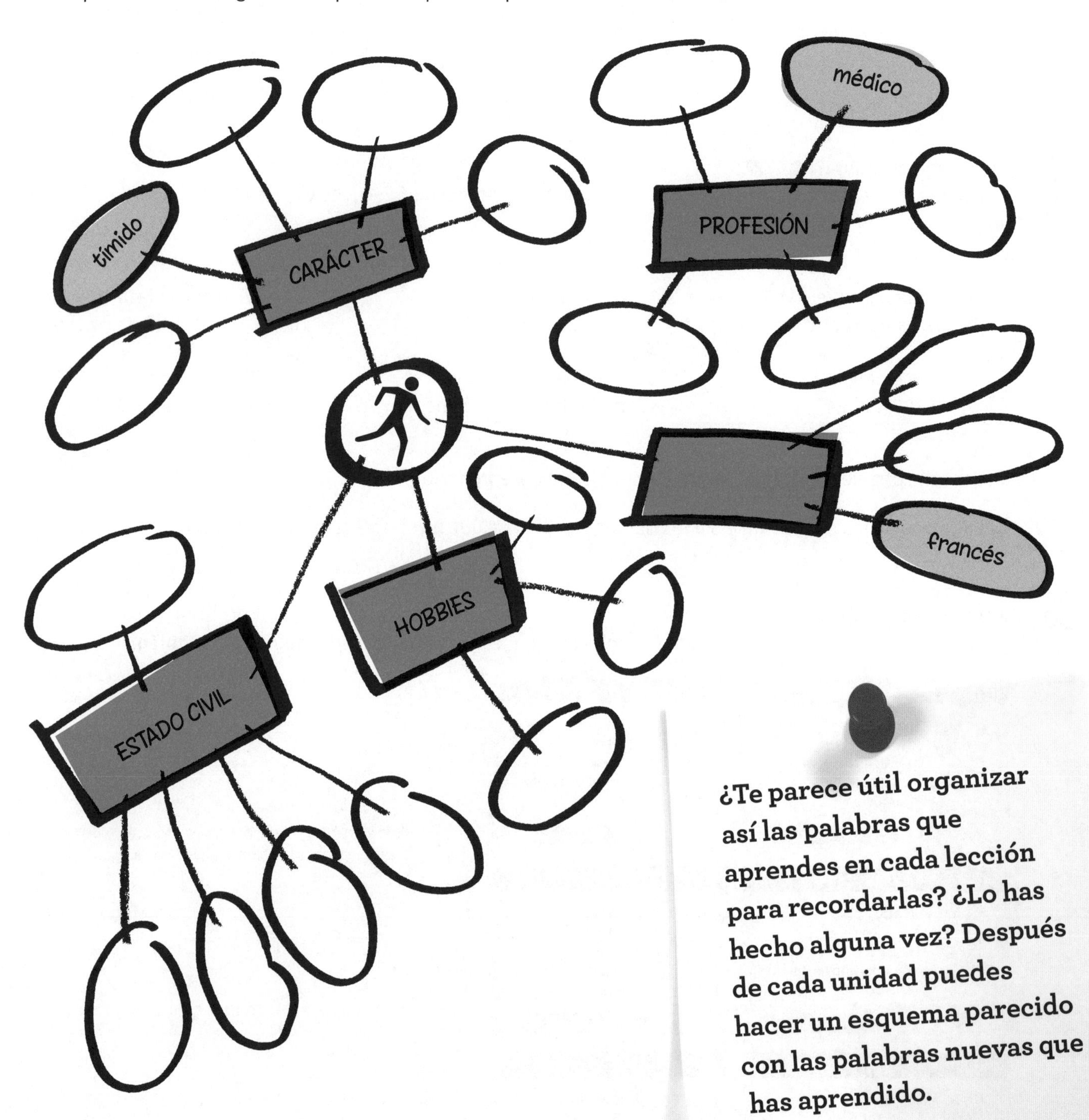

¿Te parece útil organizar así las palabras que aprendes en cada lección para recordarlas? ¿Lo has hecho alguna vez? Después de cada unidad puedes hacer un esquema parecido con las palabras nuevas que has aprendido.

AUTOEVALUACIÓN

EN GENERAL				
Mi participación en clase				
Mi trabajo en casa				
Mis progresos en español				
Mis dificultades				

Y EN PARTICULAR					
Gramática					
Vocabulario					
Fonética y pronunciación					
Lectura					
Audición					
Escritura					
Cultura					
Expresión oral					

DIARIO PERSONAL

Las secciones de GENTE CON GENTE son (muy / bastante / un poco / no son) .... interesantes. Para mí lo más fácil es ...., y lo más difícil es .... Ahora puedo entender los números del 20 al 100 (muy bien / bien / regular / con dificultad) .... Y (puedo / me cuesta un poco / no puedo) .... decirlos. También puedo decir y entender la nacionalidad de los europeos. Otras cosas que puedo hacer son: ...., ... y .... Para terminar, creo que necesito más práctica de ....

3 gente de vacaciones

1 Primeras palabras

A. En esta unidad te serán útiles estas palabras. ¿Conoces el significado de algunas? ¿Puedes relacionarlas con las imágenes?

viajar .... museo .... visitar ....
barco .... monumento .... hotel ....
verano .... playa .... montaña .... excursión ....
paisaje .... pueblo ....

B. ¿Qué otras palabras quieres saber relacionadas con las vacaciones?

2 Anuncios de viajes LA 3

Lee estos dos anuncios. ¿Qué viaje puede interesar a cada una de estas personas: A o B?

A.

OFERTAS DE VIAJES

VIAJES MARISOL

Grandes capitales de Europa

LONDRES | PARÍS | ROMA

- Ida y vuelta en avión desde Madrid o Barcelona
- Desplazamientos en autobús y tren
- Hoteles de 3 y 4 estrellas
- Guías especializados

15 días

B.

Una semana en contacto con la naturaleza

Albergues de montaña y campings

Excursiones en bicicleta

Precios especiales para familias

¡Ven a la montaña!

Foro viajar
17:23 Preferencias de vacaciones
RAQUEL A mí me gustan la tranquilidad y el sol. No me gustan los viajes organizados, en autocar y con guías. ☐

Foro viajar
20:52 Preferencias de vacaciones
MIGUEL A mí me gustan los viajes con todo organizado: los hoteles, el avión, todo. No tengo tiempo para organizarlo yo. ☐

Foro viajar
14:50 Preferencias de vacaciones
CRISTINA Nosotros queremos ir de vacaciones con nuestros hijos, pero este año no tenemos mucho dinero. ☐

Foro viajar
17:33 Preferencias de vacaciones
FRANCISCO Yo quiero viajar al extranjero. Me interesan las culturas diferentes, el arte y todo eso. ☐

Foro viajar
23:15 Preferencias de vacaciones
ENCARNA Yo prefiero conocer países nuevos, conocer gente, ciudades y visitar monumentos. ☐

3 Vacaciones ideales LA 4

A. ¿Cómo crees que les gusta viajar a estas personas? Para responder puedes usar como modelo el test sobre vacaciones del Libro del alumno.

1 Le gusta viajar solo, en bicicleta...

2 ....

3 ....

4 ....

B. ¿Con cuál de estos personajes prefieres ir de vacaciones?

- Prefiero ir de vacaciones con los personajes de la imagen 4 porque a los tres nos gusta la aventura.

4 ¿Gusta o gustan? LA 4

Completa las siguientes conversaciones con **gusta** o **gustan**.

1. ● Me .... muchísimo vivir en el centro.
   ○ ¿Sí? A mí me .... más los barrios tranquilos.
2. ● ¿Quieres ir en moto? ¿Vamos a dar un paseo?
   ○ ¡Uy! No, gracias. A mí me .... más andar.
3. ● ¿Te .... la comida mexicana?
   ○ Sí, muchísimo.
4. ● A mí, las playas con mucha gente no me .... nada.
   ○ A mí tampoco, la verdad.
5. ● ¿Te .... Madrid?
   ○ Bueno, es que en general las ciudades grandes no me .... mucho.

5 ¿De qué están hablando? LA 4

19

Vas a escuchar unas breves conversaciones entre dos personas. Marca en cada caso de qué están hablando.

1.
☐ **a.** unas fotos de las vacaciones
☐ **b.** una moto nueva

2.
☐ **a.** una novela
☐ **b.** unos poemas

3.
☐ **a.** unas canciones
☐ **b.** un disco de música clásica

4.
☐ **a.** un coche
☐ **b.** unos chicos

5.
☐ **a.** una exposición de pintura
☐ **b.** unas casas

6 ¿Te gusta o te encanta? LA 4

Escribe tus gustos respecto a estos temas. Usa **me interesa/n, no me interesa/n, me encanta/n, me gusta/n mucho, no me gusta/n nada**, etc.

.... viajar en moto
.... las tapas
.... la política
.... leer poesía
.... jugar al rugby
.... el cine americano
.... las discotecas
.... trabajar
.... el jazz
.... la televisión
.... la historia de España
.... Bach y Vivaldi
.... aprender idiomas
.... las playas desiertas
.... la música pop

7 A ellos les encantan LA 4

Construye frases relacionando los elementos de cada columna.

A mis hermanos	me gusta mucho	las canciones de Pablo Milanés.
A mí	te gusta	viajar en coche, ¿verdad?
A Carlos	no le gustan mucho	la música clásica.
A María y a ti	nos encantan	los viajes organizados.
A Carmen y a mí	os gustan	las novelas de Cortázar, ¿verdad?
A ti	no les gusta nada	la pintura de Dalí.

8 ¿Cómo continúa la frase? LA 4

20

Vas a escuchar el principio de cuatro frases. Elige la continuación que corresponde a cada una.

a. ..1.. porque nos interesa mucho Hispanoamérica.
b. ...... prefiero viajar con mis amigos.
c. ...... prefiero viajar en coche o en tren.
d. ...... porque me gusta mucho la naturaleza y andar.
e. ...... preferimos ir a la playa unos días en verano.
f. ...... no me gusta nada ir con mi familia.

9 Un típico pueblo español LA 6

A. Observa el dibujo de Linares del Río, un pueblo español inventado, y responde las preguntas.

V	F	
☐	☐	1. La estación está en la plaza de España.
☐	☐	2. Hay dos farmacias en el pueblo.
☐	☐	3. Hay un hotel en la avenida de la Constitución.
☐	☐	4. La iglesia y el ayuntamiento están en la plaza de España.
☐	☐	5. La farmacia está en la calle Mayor.
☐	☐	6. El camping y el teatro están en el parque.
☐	☐	7. El cine está al lado de la piscina.
☐	☐	8. El polideportivo está muy cerca de la piscina, al lado.
☐	☐	9. Hay un supermercado cerca de la escuela.
☐	☐	10. El campo de fútbol está en la calle Mayor.

B. Corrige ahora las que son falsas.

La farmacia no está en la calle Mayor.

10 De visita en Linares del Río LA 6

Unas personas que visitan el pueblo necesitan información y preguntan a la gente. Completa las conversaciones con **hay** o **está**.

1. ● Perdone, ¿dónde ......*está*...... la oficina de Correos?
   ○ (pl. España) ...*En la plaza de España*.... .
2. ● ¿ .... una farmacia por aquí?
   ○ (parque) ....
3. ● ¿ .... hotel en este pueblo?
   ○ (avda. Constitución) ....
4. ● ¿Dónde .... el hospital, por favor?
   ○ (no/ambulatorio/parque) ....
5. ● Perdone, ¿ .... una agencia de viajes en el pueblo?
   ○ (no) ....
6. ● ¿ .... un camping en el pueblo?
   ○ (piscina) ....

Tu barrio y tú LA 6

Haz dos listas. Consulta el diccionario o el Libro del alumno si te falta vocabulario.

10 COSAS QUE HAY CERCA DE MI CASA En mi barrio hay:		5 COSAS QUE FALTAN EN MI BARRIO En mi barrio no hay:
1.	6.	1. ....
2.	7.	2. ....
3.	8.	3. ....
4.	9.	4. ....
5.	10.	5. ....

Un apartamento en Tenerife LA 6

21

Una persona está interesada en este apartamento de Tenerife y llama a la agencia de viajes para obtener más información. Escucha y señala la información que te dan.

EL APARTAMENTO ESTÁ...
- ☑ cerca de la playa.
- ☐ cerca de un campo de golf.
- ☐ lejos del aeropuerto.
- ☐ cerca de la ciudad de Santa Cruz.
- ☐ en una zona muy tranquila.

EN LOS APARTAMENTOS HAY...
- ☐ aire acondicionado.
- ☐ teléfono.
- ☐ televisión.
- ☐ cinco habitaciones.
- ☐ parking.
- ☐ piscina.
- ☐ pistas de tenis.

http://www.solmar.difusion.com

Piso/apartamento - San Miguel de Abona

Ocasión: apartamento muy barato en Tenerife. 1-15 de agosto. Para 5 personas. Muy cerca de la playa. Tlf. 922 197 654

13 Un apartamento en España LA 3

A. Elige una región española y busca en internet el anuncio de un apartamento o casa para alquilar. Puedes imprimirlo y compartirlo con tus compañeros.

B. Escribe un texto para pedir más información. Tu profesor puede corregirlo.

14 A mí también LA 9

A. Completa cada respuesta con un dibujo para decir si las personas que hablan están de acuerdo o no.

1.
- ● Me gusta la naturaleza.
- ○ A mí también.
- ■ A mí no.

2.
- ● Quiero visitar museos.
- ○ Yo también.
- ■ Yo no.

3.
- ● No me gustan las grandes ciudades.
- ○ A mí tampoco.
- ■ A mí sí.

4.
- ● No quiero caminar demasiado.
- ○ Yo tampoco.
- ■ Yo sí.

B. Observa los recursos para mostrar acuerdo y desacuerdo que se usan en el ejercicio anterior y completa las siguientes conversaciones.

☺	● Quiero conocer Andalucía.	☹	● No tengo vacaciones en agosto.
☺	○ ...Yo también..........	☺	○ ....
☹	■	☹	■ ....
☺	● Me gusta muchísimo el teatro.	☹	● No me interesa nada el golf.
☺	○	☺	○ ....
☹	■	☹	■ ....

15 **¿De acuerdo?** LA 9

22

A. Vas a escuchar ocho enunciados. ¿Cuál es el tipo de respuesta para cada uno de ellos? Escribe la letra correspondiente en cada casilla.

a. a mí también b. a mí tampoco c. yo también d. yo tampoco

1. ☐ 2. ☐ 3. ☐ 4. ☐ 5. ☐ 6. ☐ 7. ☐ 8. ☐

B. Ahora, en tu cuaderno, responde a cada enunciado con tu propia opinión.

16 **Tus nuevas palabras**

Dibuja un gráfico como este y complétalo con las palabras nuevas que has aprendido en esta unidad.

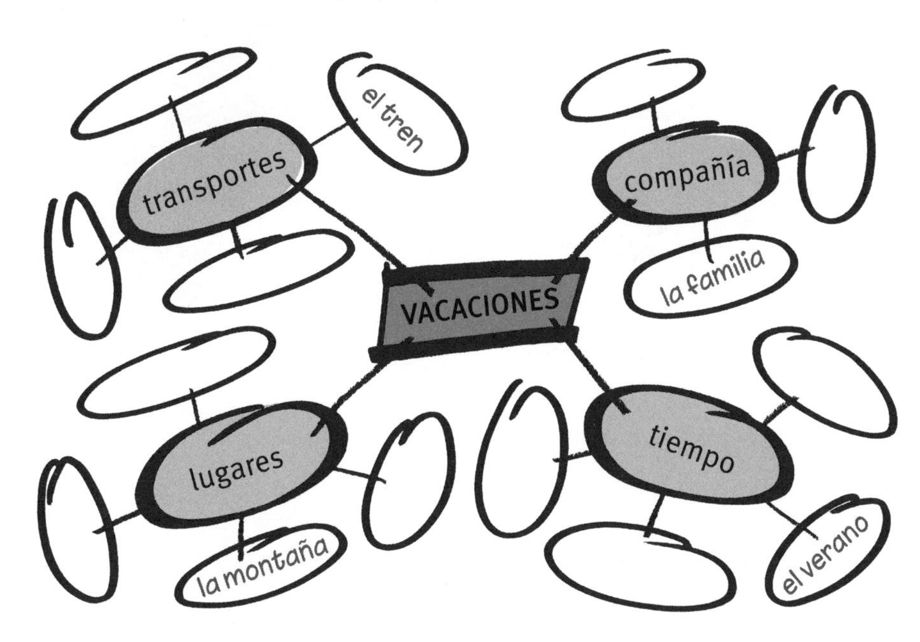

17 **El mapa de Sudamérica** LA 2

A. Busca el significado de las siguientes expresiones y anótalo en tu lengua.

Es un río.	....	Está al norte.	....	Está cerca de...	....
...un lago.	....	...al sur.	....	...lejos de...	....
...una ciudad.	....	...al este.	....	...entre .... y	....
...una montaña.	....	...al oeste.	....		
...una isla.	....	...en el centro.	....		

B. Ahora mira este mapa de Sudamérica y completa las preguntas.

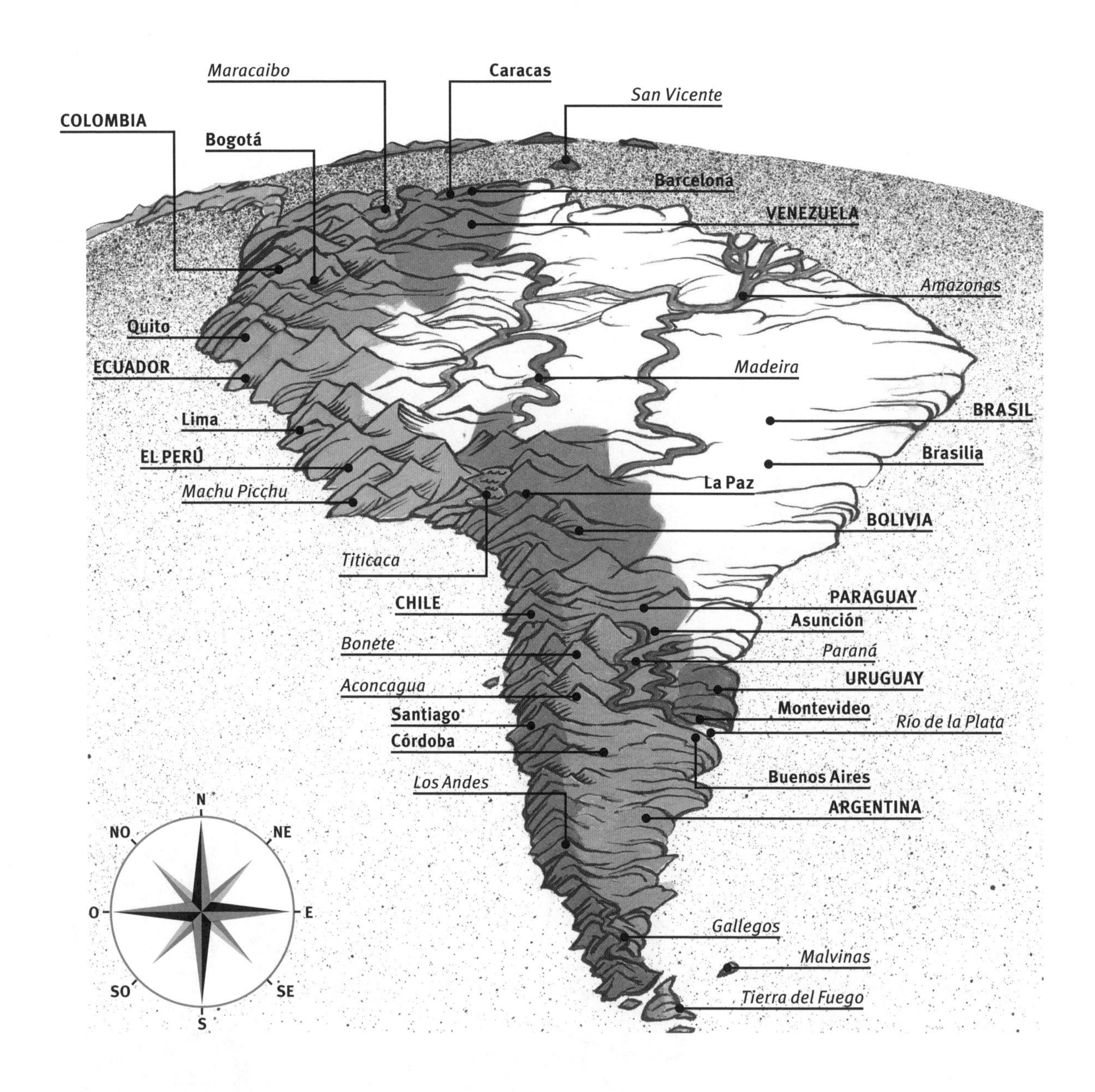

1. Son unas islas que están al sureste de Argentina: ....
2. Es un lago que está al oeste de La Paz: ....
3. Es la capital de El Perú y está al noroeste del país: ....
4. Es un río que pasa por el norte de Argentina: ....
5. Es una ciudad que está al este de Caracas: ....
6. Es un río que está entre Argentina y Uruguay: ....

C. Ahora describe tú estos lugares:

1. Machu Picchu: ....

2. Amazonas: ....

3. Córdoba: ....

4. San Vicente: ....

D. Con un compañero, piensa en algún lugar del mundo y dale pistas hasta que lo adivine.

18 Un test sobre tu carácter LA 4

Lee y responde a las preguntas de este test. Después consulta tus resultados. ¿Estás de acuerdo con las conclusiones?

¿ERES SOCIABLE?

1. Cuando voy de vacaciones me gusta...
   - ☐ **a.** ir solo/a o con mi novio/a. Ni amigos, ni familia.
   - ☐ **b.** ir con la familia o los amigos, pero también solo/a o con mi novio/a. Depende.
   - ☐ **c.** ir con un grupo grande de amigos o con toda la familia.

2. Y cuando estoy en el lugar elegido...
   - ☐ **a.** me interesa más visitar los museos, ir a la playa o pasear.
   - ☐ **b.** me gusta descansar pero también conocer las costumbres del lugar.
   - ☐ **c.** me encanta hablar con la gente para conocer sus costumbres y sus tradiciones.

3. Me gusta viajar...
   - ☐ **a.** en mi coche o en mi moto.
   - ☐ **b.** en coche, en tren, en avión o en autobús.
   - ☐ **c.** en autoestop para conocer gente nueva.

4. Para estudiar o trabajar prefiero...
   - ☐ **a.** estar solo/a en casa, con mi música y mis cosas.
   - ☐ **b.** generalmente solo/a, pero estudiar con gente también es divertido.
   - ☐ **c.** no me gusta nada trabajar solo/a: prefiero estar con amigos para estudiar o trabajar bien.

5. Y ahora, sinceramente: ¿Eres...
   - ☐ **a.** serio/a, callado/a, tímido/a y perezoso/a para hablar con la gente?
   - ☐ **b.** un poco tímido/a pero activo/a y sociable?
   - ☐ **c.** muy simpático/a, sociable y cariñoso/a?

Mayoría de respuestas a.
No eres sociable, claro, pero eres muy independiente. Una pregunta: ¿no te aburres un poco?

Mayoría de respuestas b.
Eres una persona muy normal. Eres sociable, abierto/a y seguramente tienes muchos y buenos amigos.

Mayoría de respuestas c.
¡Enhorabuena! Tú no tienes problemas para conocer gente: donde quieres y cuando quieres. Eres muy, muy sociable... ¿demasiado?

ASÍ PUEDES APRENDER MEJOR

Dos estilos de vacaciones muy diferentes

A. Observa bien a Tere y a Rodolfo, ¿cómo te imaginas que son sus vacaciones? Escribe su inicial (**T** o **R**) junto a las cosas con las que los relacionas.

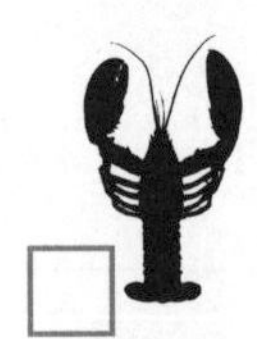

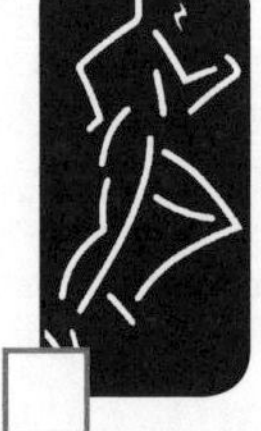

Como ves, el contexto, las cosas que tú sabes sobre las personas y el mundo, te permiten hacer hipótesis sobre lo que vas a escuchar o a leer. Estas hipótesis te pueden ayudar a entender lo que oyes y lees, tanto en la clase como fuera de ella.

23

B. Ahora escucha lo que cuentan Tere y Rodolfo sobre sus vacaciones. ¿Has acertado con tus hipótesis?

AUTOEVALUACIÓN

EN GENERAL				
Mi participación en clase				
Mi trabajo en casa				
Mis progresos en español				
Mis dificultades				

Y EN PARTICULAR					
Gramática					
Vocabulario					
Fonética y pronunciación					
Lectura					
Audición					
Escritura					
Cultura					
Expresión oral					

DIARIO PERSONAL

(Me gusta mucho / No me gusta) hablar con mis compañeros de las vacaciones. (Es / No es) muy interesante conocer sus gustos y preferencias. Ahora yo puedo hablar de mis vacaciones (muy bien / bien / regular / con problemas) y puedo describir qué hay en mi ciudad y en mi barrio (muy bien / bien / regular / con problemas). Me gusta(n) mucho la(s) actividad(es) .... porque ...., pero no me gusta(n) mucho la(s) actividad(es) .... porque .... Entiendo (muy bien / bien / con dificultad) la diferencia entre está(n) y hay. Y puedo hablar de mis gustos y preferencias con los verbos gustar y preferir (muy bien / bien / con dificultad).

4 gente de compras

1. **Primeras palabras.** Vocabulario útil para la unidad.
2. **Listas de la compra.** Vocabulario de tiendas y productos.
3. **¿Dónde compro...?** Vocabulario de tiendas y productos.
4. **Tener o no tener.** Formas de **tener**.
5. **Tengo que...** El uso de **tener que** + infinitivo.
6. **A mí me gustan estas.** Vocabulario sobre regalos y formas **este/a/os/as**.
7. **Monedas.** Vocabulario de monedas y números.
8. **¿Cuánto cuesta?** Preguntar por el precio y valorarlo. Números.
9. **Gentilandia.** Números.
10. **Para no repetir.** Pronombres de OD **lo, la, los, las**.
11. **Las usas para pagar.** Pronombres de OD.
12. **Regalos de Navidad.** Pronombres de OI **le** y **les**.
13. **¿Tienes cámara de fotos?** Uso de **tener** + nombre sin artículo.
14. **Prendas de ropa.** Vocabulario de la ropa. El uso de **tener que** + infinitivo.
15. **Rebajas.** Números y precios.
16. **Colores.** Los colores. Formas de los adjetivos de los colores.
17. **¿Qué le regalo?** Vocabulario sobre los regalos y expresiones para argumentar.
18. **¿Cuál compramos?** Preguntas con **cuál** y **qué**. Las formas **este/a/os/as** y el neutro **esto**.

Agenda

1 Primeras palabras

A. Estas son algunas palabras útiles para esta unidad. ¿Conoces el significado de alguna? ¿Las puedes relacionar con las imágenes?

centro comercial .... precio .... camiseta ....
tarjeta .... farmacia .... comprar .... negro ....
chaqueta .... zapatos .... tienda .... flores ....

B. Piensa en el tema de las compras. ¿Hay más palabras que necesitas conocer?

2 Listas de la compra LA 2

Mira estas tres listas de la compra. ¿A qué tiendas de Gentishop tienen que ir?

una novela para Alicia
desodorante
aspirinas
dos periódicos: El Mundo y El País
un secador de pelo

pasteles
un libro
dos botellas de vino
pelotas de tenis
una corbata

unos zapatos
dos revistas: Hola y El Jueves
unas postales
espuma de afeitar
una cafetera

RAMÓN TIENE QUE IR A...	ANAMARI TIENE QUE IR A...	ALBERTO TIENE QUE IR A...
....	....	....
....	....	....
....	....	....
....	....	....

3 ¿Dónde compro...? LA 2

Y estas cosas, ¿dónde las puedes comprar? Escríbelo siguiendo el ejemplo.

1. Las flores, en la floristería.
2. ....
3. ....
4. ....
5. ....
6. ....

1

3

5

2

4
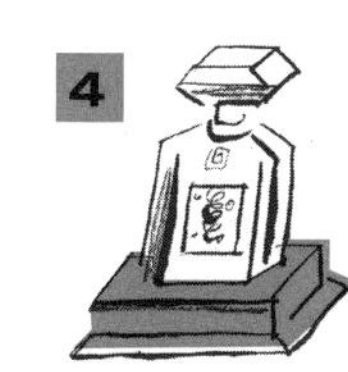

6
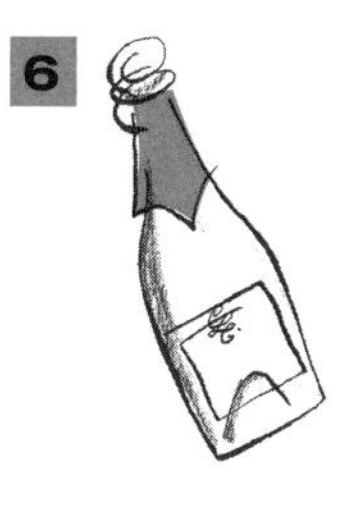

4 Tener o no tener LA 2

Completa con la forma correcta del verbo **tener**.

1.
- Oye, Jaime, ¿ .... cámara de fotos?
- ❍ Yo no, pero mi mujer .... una.

2.
- ¿Cuántos años .... ?
- ❍ Yo .... veintidós, y Gloria, veinte.

3.
- Los padres de Javier .... muchísimo dinero.
- ❍ Sí, creo que .... un yate de lujo.

4.
- ¿Celia y tú .... hijos?
- ❍ Sí, ... dos niñas, Ana y Bea.

5 **Tengo que...** LA 2

Escribe cinco cosas que **tienes que hacer** durante la semana y otras cinco que **tienen que hacer** otras personas con la que convives.

YO

Tengo que hacer un examen de Historia.

OTRAS PERSONAS

Mi hermana tiene que ir a clase de español.

6 **A mí me gustan estas** LA 3

A. Observa estos fragmentos de conversación. ¿A qué palabras de la lista se corresponden en cada caso las formas **este, esta, estos, estas**?

1. **Este** es un poco fuerte, ¿no?
2. A mí me gusta **esta**.
3. **Estas** son muy caras.
4. Y **estos**, ¿cuánto valen?

- ☐ unos calcetines
- ☐ una chaqueta
- ☐ unas botellas de cava
- ☐ un perfume

24

B. Escucha estas conversaciones y señala de qué hablan (✓).

1.
- ☐ una americana
- ☐ un pañuelo

2.
- ☐ un libro
- ☐ unas pilas

3.
- ☐ una botella de vino
- ☐ unas revistas

4.
- ☐ un perfume
- ☐ unos calcetines

5.
- ☐ unas flores
- ☐ unos pasteles

6.
- ☐ una guitarra
- ☐ un disco de jazz

7.
- ☐ una novela
- ☐ un reloj

8.
- ☐ una botella de leche
- ☐ un paquete de café

9.
- ☐ unos zapatos
- ☐ una cámara de fotos

10.
- ☐ una cafetera
- ☐ unas pelotas de tenis

7 **Monedas** LA 4

A. Completa el nombre en español de estas monedas con **el** o **la**. ¿Puedes añadir otras?

1. ....la...... rupia
2. ....el....... yen
3. .... euro
4. .... rublo
5. .... dólar
6. .... real
7. .... peso
8. .... dírham
9. .... libra
10. .... corona
11. .... yuan
12. .... sol
13. ....
14. ....
15. ....

B. Escribe estos precios en letras. Presta atención al género de las monedas.

1. 3500 ....tres mil quinientas.......... rupias
2. 200 ....doscientos.......... yenes
3. 685 .... euros
4. 3790 .... rublos
5. 269 .... dólares
6. 820 .... reales
7. 1020 .... pesos
8. 1100 .... dírhams
9. 52 .... libras
10. 441 .... coronas
11. 830 .... yuanes
12. 175 .... soles
13. ....
14. ....
15. ....

8 ¿Cuánto cuesta? LA 5

A. Pregunta el precio de estas cosas. Atención a **cuesta/n** y **este/a/os/as**.

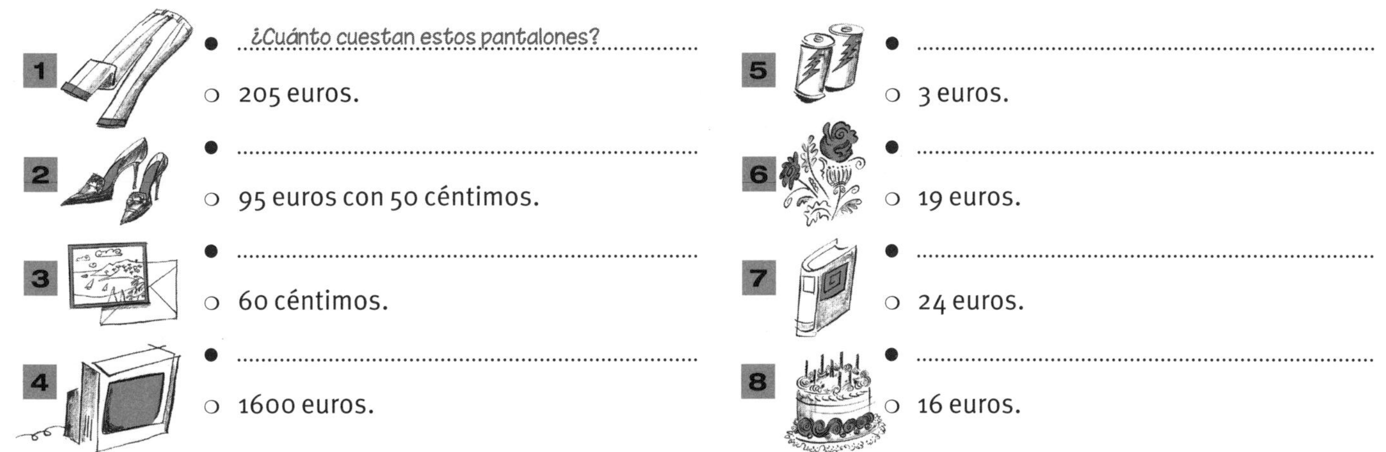

1. ● *¿Cuánto cuestan estos pantalones?*
   ○ 205 euros.
2. ● ....
   ○ 95 euros con 50 céntimos.
3. ● ....
   ○ 60 céntimos.
4. ● ....
   ○ 1600 euros.
5. ● ....
   ○ 3 euros.
6. ● ....
   ○ 19 euros.
7. ● ....
   ○ 24 euros.
8. ● ....
   ○ 16 euros.

B. Las cosas anteriores, ¿son caras o baratas? Puedes usar: **un poco, bastante, muy, demasiado**.

Los pantalones son demasiado caros.

9 Gentilandia LA 5

25

A. Gentilandia es un país imaginario con muy pocos habitantes. Su moneda oficial es el pesito. Escucha la información sobre este país y subraya los números que oigas.

444 000 20 000 50 600 3,55 10 000 44 000 650 000 6000 3500 355 000

B. Escucha otra vez la audición y responde a estas preguntas.

1. ¿Cuántos habitantes tiene Gentilandia? ....
2. ¿Cuántas mujeres viven en este país? ....
3. ¿Cuánto cuesta una cerveza en un bar? ....
4. ¿Cuánto puede costar comer en un restaurante? ....
5. ¿Cuál es el número de teléfono de la Oficina de Turismo? ....

10 Para no repetir LA 6

Observa el uso de **lo** en el ejemplo. Completa los otros casos con las formas **la, los, las**.

1. ● ¿Dónde tienes **el coche**?
   ○ Tengo ~~el coche~~ en casa ⟶ **Lo** tengo en casa.
2. ● ¿Necesitas **la moto** este fin de semana?
   ○ Sí, necesito **la moto** el sábado para ir a una fiesta.
3. ● ¿Traes **los deberes** hoy?
   ○ Sí, traigo **los deberes** hoy.
4. ● ¿Dónde compras **las manzanas**? Son muy buenas.
   ○ Pues siempre compro **las manzanas** en el supermercado de Gentishop.

11 Las usas para pagar LA 6

A. ¿Sabes de qué hablan en cada caso? Relaciona las frases con los objetos del recuadro.

1. Lo puedes comprar en una joyería.
2. Los comes en las fiestas y son de nata, de chocolate, etc.
3. Los necesitas para ir a trabajar, para ir a clase...
4. La gente la compra normalmente en el supermercado.
5. Las puedes leer en casa, en el autobús, en la peluquería...
6. La usas para pagar, pero no es dinero.
7. Normalmente lo llevan las mujeres y no es una falda.
8. Las puedes comer en un restaurante o en casa.

- [1] reloj
- [ ] vestido
- [ ] pizzas
- [ ] zapatos
- [ ] comida
- [ ] pasteles
- [ ] tarjeta de crédito
- [ ] revistas

B. Ahora busca otras cinco cosas en las páginas del Libro del alumno y descríbelas con **lo**, **la**, **los**, **las**. En clase vas a leer tus descripciones a tus compañeros para que adivinen de qué hablas.

Lo compras en el supermercado o en la perfumería y lo usas después de la ducha.

12 Regalos de Navidad LA 7

Dos hermanos deciden los regalos de Navidad. Completa con **le** o **les**. Las palabras en *cursiva* pueden ayudarte.

1.
- *A la tía Alicia* .... compramos una novela, ¿no?
- ○ Sí. Y *a la tía Mari*, no sé. ¿Otra novela?
- Vale, ... regalamos una novela *a las dos*.

2.
- *El primo Gonzalo* quiere unas gafas de esquí.
- ○ Bueno, pues .... compramos unas gafas.

3.
- ¿Y *a los tíos Rodrigo y María*?
- ○ No sé, ... regalamos entradas para el teatro.
- ¿Otra vez? No, mejor otra cosa.

4.
- Y *a la abuela*, ¿qué .... compramos?
- ○ *A la abuela* .... compramos un reloj de pared.

13 ¿Tienes cámara de fotos? LA 8

A. Observa estas dos conversaciones y completa las explicaciones con el número correspondiente.

1.
- ¿Tienes cámara de fotos?
- ○ No, no tengo. Hago fotos con el móvil.
- ■ Sí, tengo una cámara réflex.

2.
- ¿Tienes la cámara de fotos?
- ○ No, no la tengo aquí.
- ■ Sí, la tengo en la mochila.

- [ ] Nos referimos a un elemento concreto.
- [ ] Nos referimos a una categoría abstracta.

B. Responde ahora a las siguientes preguntas.

1. ¿Tienes reloj? ....
2. ¿Tienes gafas de sol? ....
3. ¿Tienes moto? ....
4. ¿Tienes guitarra? ....
5. ¿Tienes internet? ....
6. ¿Tienes televisor? ....

14 Prendas de ropa LA 9

A. ¿Recuerdas cómo se llaman estas prendas de ropa? Escribe el nombre de cada elemento en las etiquetas.

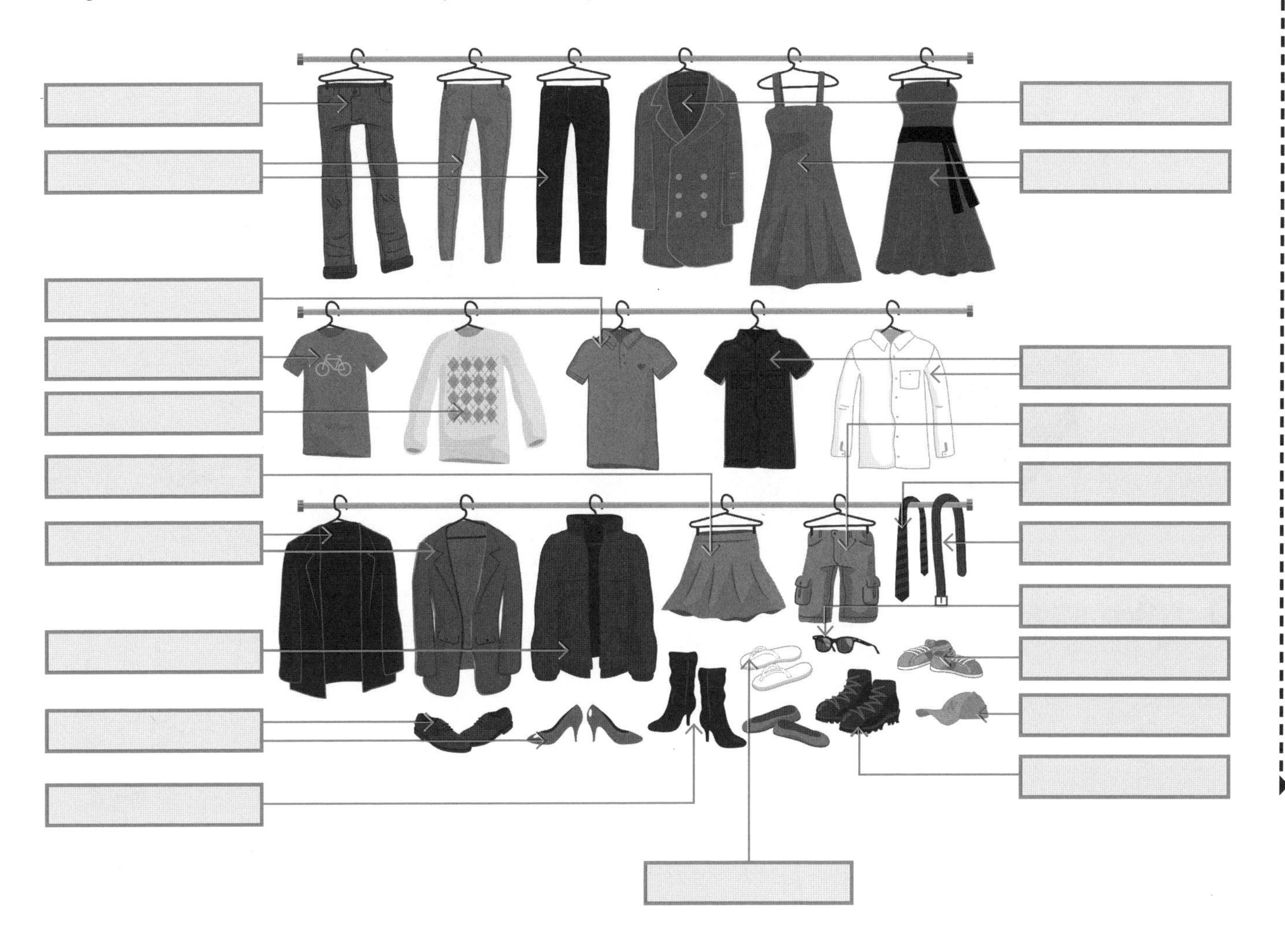

B. ¿Qué ropa tienen que ponerse Antonia y Saúl para hacer estas cosas?

ANTONIA

SAÚL

- para llamar la atención en una fiesta
- para conocer a los padres de su pareja
- para pasar un día en la playa
- para ir a la ópera o al teatro
- para ir a clase de pintura
- para jugar con sus sobrinos en el parque

Para conocer a los padres de su pareja, Saúl tiene que ponerse...

serio/a	llamativo/a
nuevo/a	juvenil
viejo/a	informal
clásico/a	elegante

15 Rebajas LA 9

26

Escucha las ofertas de Gentishop y escribe los precios de rebajas.

16 Colores LA 9

A. ¿Qué cosas relacionas con cada color? Puedes usar el diccionario.

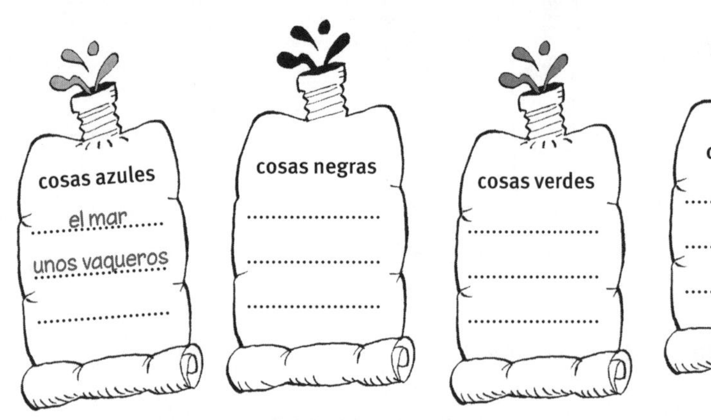

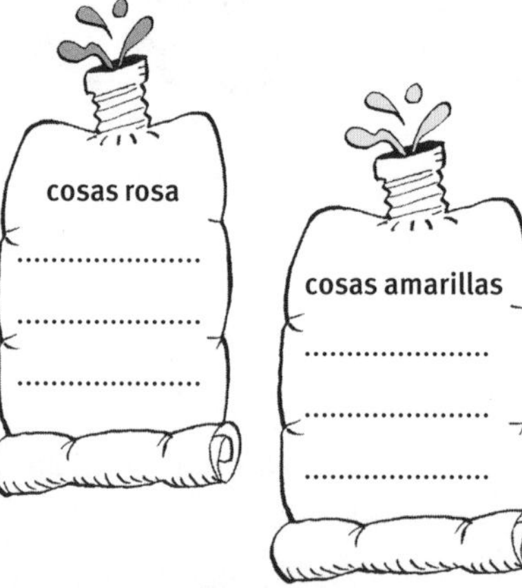

B. Ahora completa este cuadro con todas las formas de los colores que conoces.

<table>
<tr><th>masculino singular</th><th>femenino singular</th><th>masculino plural</th><th>femenino plural</th></tr>
<tr><td>-o
rojo
..........</td><td>-a
roja
..........</td><td>-os
rojos
..........</td><td>-as
rojas
..........</td></tr>
<tr><td colspan="2">-e ....</td><td colspan="2">-es ....</td></tr>
<tr><td colspan="2">-a ....</td><td colspan="2">-as ....</td></tr>
<tr><td colspan="2">-consonante
(-l, -n, -s) ....</td><td colspan="2">-consonante
+ e (-les, -nes, -ses) ....</td></tr>
<tr><td colspan="4">-a ....</td></tr>
</table>

17 **¿Qué le regalo?** LA 10

Completa la lista con el nombre de las personas a las que quieres hacerles un regalo (tus padres, tu novio/a, un/a amigo/a...). Después, escucha lo que sugiere la grabación para cada uno y reacciona.

27

1. Mi hermana .... No, un pañuelo de seda, no. Mejor un libro de arte, que le gustan mucho.
2. ....
3. ....
4. ....
5. ....
6. ....

18 **¿Cuál compramos?** LA 9

A. Observa cómo funcionan las formas **qué** / **cuál** y **este** / **esto**, en los dos ejemplos. Después escribe el número de cada uno al lado de la explicación correspondiente.

1. ¿**Cuál** compramos, **este** o **este**?
2. ¿**Qué** compramos, **esto** o **esto**?

- ☐ Hablamos de dos cosas de la misma categoría.
- ☐ Hablamos de dos cosas de diferente categoría.

B. Observa los objetos y escribe la frase más adecuada en cada caso. Pon atención al género y el número.

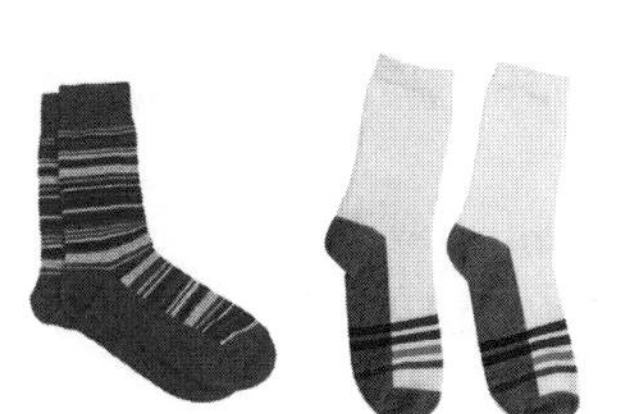

1. ....
2. ....
3. ....

4. ....
5. ....
6. ....

ASÍ PUEDES APRENDER MEJOR

19 Falsos amigos

A. Estas son algunas de las palabras que has aprendido en esta unidad. Marca con un signo ≠ los "falsos amigos", y con un signo = las palabras semejantes en las dos lenguas.

- ☐ los electrodomésticos
- ☐ la comida de gato
- ☐ los medicamentos
- ☐ la ropa de hombre
- ☐ los pasteles
- ☐ los libros
- ☐ las joyas
- ☐ los zapatos
- ☐ la ropa
- ☐ los cosméticos
- ☐ las bebidas
- ☐ las flores
- ☐ las postales
- ☐ las revistas
- ☐ las novelas
- ☐ blanco
- ☐ rosa (color)

B. Puedes añadir a esta lista otras palabras con los signos = o ≠.
Este truco te va a ayudar en tu aprendizaje del español.

- ☐ ....
- ☐ ....
- ☐ ....
- ☐ ....
- ☐ ....
- ☐ ....

20 ¿Quién? ¿Qué? ¿A quién? ¿A dónde?

A. Para saber cómo funcionan los verbos podemos hacer preguntas como estas. Observa:

regalar
¿Quién regala? — *Una persona.*
¿Qué regala esa persona? — *Una cosa.*
¿A quién regala la persona esa cosa? — *A otra persona.*

necesitar
¿Quién necesita? — *Una persona.*
¿Qué necesita esa persona? — *Una cosa o a otra persona*.*

ir
¿Quién va? — *Una persona.*
¿A dónde va? — *A un lugar.*

Así podemos saber si un verbo puede (o tiene) que llevar pronombre OD, pronombre OI o una preposición:

¿Qué? ⟶ OD *¿A dónde?* ⟶ preposición
¿A quién? ⟶ OI

B. ¿Conoces otros verbos que funcionan como **regalar**? ¿Y como **necesitar**? ¿Y como **ir**? Anótalos.

Hay palabras en español que pueden ser parecidas a otras en tu lengua (u otras que conoces). Esto puede ser una ayuda o puede causar problemas cuando el significado de las dos palabras no es el mismo o es muy diferente. Tienes que tener cuidado con estos "falsos amigos".

Un verbo en español puede tener un significado parecido a otro verbo en tu lengua (o en otras lenguas que conoces), pero también puede tener unas exigencias gramaticales diferentes: de OI, OD o de complemento con preposición... Por eso, es tan importante aprender el significado de un verbo como sus exigencias de OI y OD.

AUTOEVALUACIÓN

EN GENERAL				
Mi participación en clase				
Mi trabajo en casa				
Mis progresos en español				
Mis dificultades				

Y EN PARTICULAR					
Gramática					
Vocabulario					
Fonética y pronunciación					
Lectura					
Audición					
Escritura					
Cultura					
Expresión oral					

DIARIO PERSONAL

La unidad GENTE DE COMPRAS es (muy / bastante) .... interesante, especialmente la secuencia de Mundos en contacto, donde se habla de .... y de .... En mi país las costumbres son (iguales / parecidas / muy diferentes) .... Las tiendas que vemos en las páginas iniciales del Libro del alumno (también/no) .... son (iguales que / parecidos a / muy diferentes de) .... las de mi país. Por otra parte, es una unidad muy interesante porque ahora puedo hablar de regalos, ropa y precios. También puedo .... Para mí, lo más difícil en esta unidad es ....

5 gente en forma

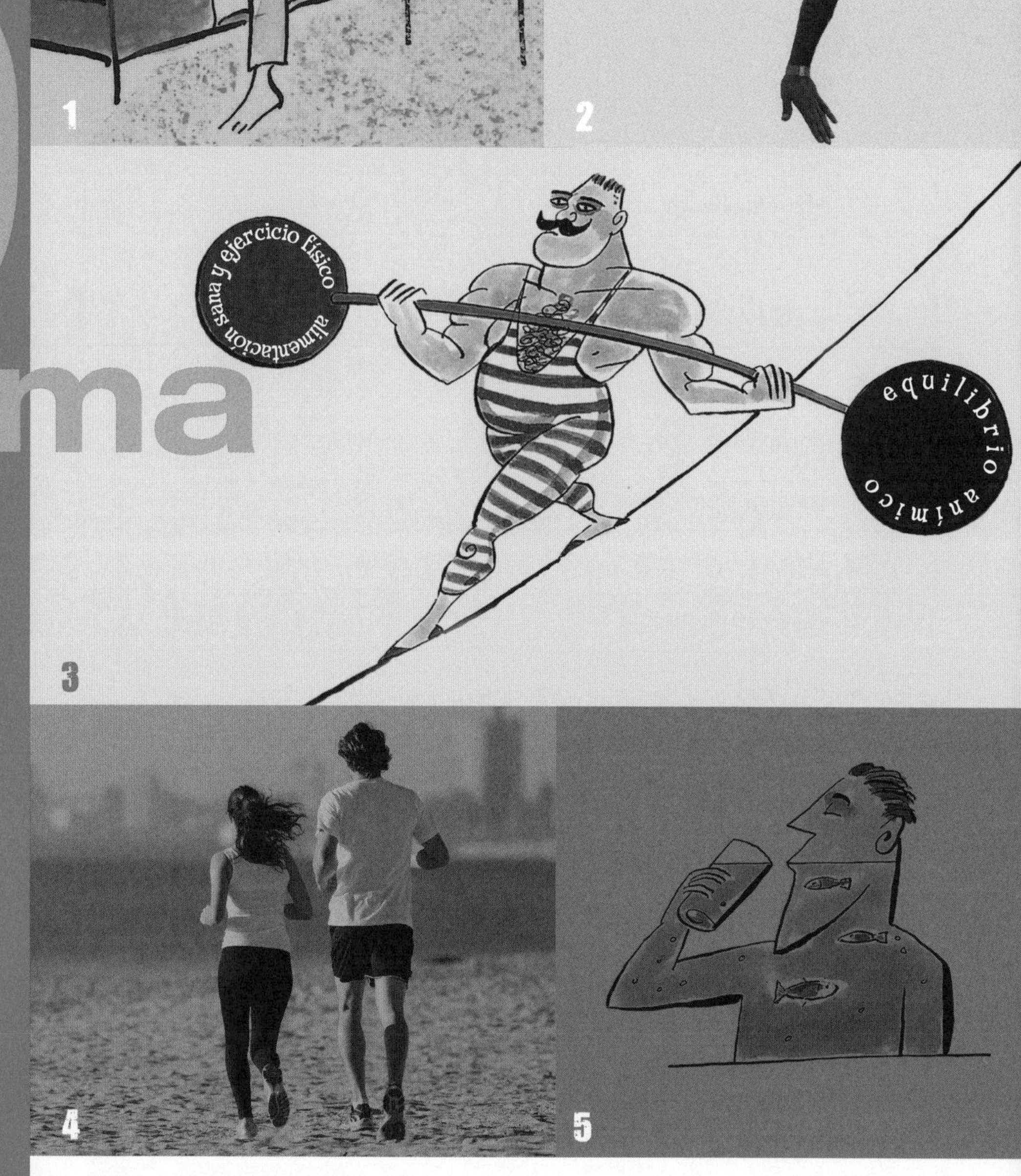

1. **Primeras palabras.** Vocabulario útil para la unidad.
2. **Trabaja demasiado.** Vocabulario de hábitos para la salud. Cuantificadores.
3. **Como mucho pescado.** Combinaciones frecuentes de verbo y nombre. Cuantificadores.
4. **Muy diferentes, muchas diferencias.** El uso de **muy** y **mucho.**
5. **Erre que erre.** La representación escrita de los sonidos /ɾ/ y /r/.
6. **Los hábitos de Gloria.** Describir hábitos. Las formas **muy, mucho/a/os/as.**
7. **El cuerpo.** Vocabulario: partes del cuerpo y sus movimientos.
8. **Es bueno para...** Vocabulario de actividades y partes del cuerpo. Recomendaciones con **es bueno para.**
9. **¿Yo, tú, él...?** Conjugación de verbos.
10. **Rutinas.** Verbos regulares e irregulares para hablar de rutinas diarias.
11. **Me acuesto pronto.** Verbos regulares e irregulares para hablar de rutinas diarias.
12. **Perdone, señora.** Entrevistas sobre costumbres sanas.
13. **¿Unas vacaciones aburridas?** Un correo electrónico sobre las vacaciones. Los verbos regulares e irregulares.
14. **Consejos.** Formas **hay que, tienes que, es bueno/necesario/importante** con **para** y **si.**
15. **Tengo un problema.** Aconsejar con las formas **tener que** y **poder** + infinitivo.
16. **Un día en la vida de Milagros.** Verbos reflexivos y no reflexivos.
17. **Palabras que quiero recordar.** Estrategias de aprendizaje.

Agenda

1 Primeras palabras

A. En esta unidad te serán útiles estas palabras. ¿Conoces el significado de algunas? ¿Puedes relacionarlas con las imágenes?

salud .... alimentación .... hábitos .... ejercicio ....
estrés .... brazos .... dormir .... trabajar ....
fumar .... comer .... equilibrio .... cuerpo ....

B. Piensa en otras palabras que crees que te serán útiles para hablar de este tema.

2 Trabaja demasiado LA 1

Mira la lista con buenas y malas costumbres. ¿A qué persona puede corresponder cada una?

1

2

3

-come demasiado ..3...
-bebe demasiado alcohol .....
-come muy poco ......
-come mucha fruta ......
-trabaja demasiado ......
-no toma azúcar ......
-duerme poco ......
-hace mucho deporte ......
-hace yoga ......
-toma demasiado café ......
-come muchos dulces ......
-fuma demasiado ......
-anda bastante ......
-no fuma ......
-va en bici ......
-juega al golf ......
-se acuesta muy tarde ......
-está mucho tiempo sentado/a ......

3 Como mucho pescado LA 1

A. Completa los siguientes verbos con los nombres con los que se combinan habitualmente para formar expresiones relacionadas con la salud.

~~pescado~~ alcohol agua fruta
carne café deporte
té gimnasia azúcar chocolate
yoga fibra dulces

COMER: ...pescado...........
BEBER: ....
TOMAR ....
HACER ....

B. ¿Haces algunas de las cosas del ejercicio anterior? ¿Cuáles? Al escribir tus frases puedes usar: **mucho/a/os/as, bastante/s, poco/a/os/as, demasiado/a/os/as ...**

No hago mucho deporte.

4 Muy diferentes, muchas diferencias LA 1

A. Leo y Félix son dos personas muy diferentes. ¿Puedes asociar las frases con cada uno de ellos?

1. No tiene **mucho** tiempo libre. ....Leo.......
2. Camina **mucho**. ....
3. Come **mucho**. ....
4. Tiene **muchos** animales. ....
5. Se va al campo **muchos** fines de semana. ....
6. Conoce a **mucha** gente importante. ....
7. Es **muy** ecologista. ....
8. Viaja **mucho** al extranjero. ....
9. Habla **muy** poco. ....
10. Hace **mucho** deporte. ....
11. Es **muy** simpático. ....
12. Le gustan **mucho** las plantas. ....
13. Habla lenguas extranjeras **muy** bien. ....
14. Lleva una vida **muy** sana. ....
15. Tiene **mucho** estrés. ....
16. Mira una pantalla **muchas** horas al día. ....

B. Fíjate en las palabras destacadas en **negrita** en el apartado anterior. ¿Puedes completar la regla y poner ejemplos?

– .... se usa con **adjetivos** y **adverbios** y es invariable.
  Ejemplos: ....

– .... se usan con **nombres** y concuerdan con ellos en género y número.
  Ejemplos: ....

– .... se usa con **verbos** y es invariable.
  Ejemplos: ....

C. Elige una página del Libro del alumno con varias imágenes de personas. Escoge una y escribe frases sobre ella usando **muy, mucho, mucha, muchos, muchas**. Puedes trabajar con un compañero/a y jugar a adivinar.

5 Erre que erre

28

Escucha estas palabras y fíjate en los sonidos que corresponden a las grafías **r**, y **rr**. Notarás que la lengua vibra una o varias veces.

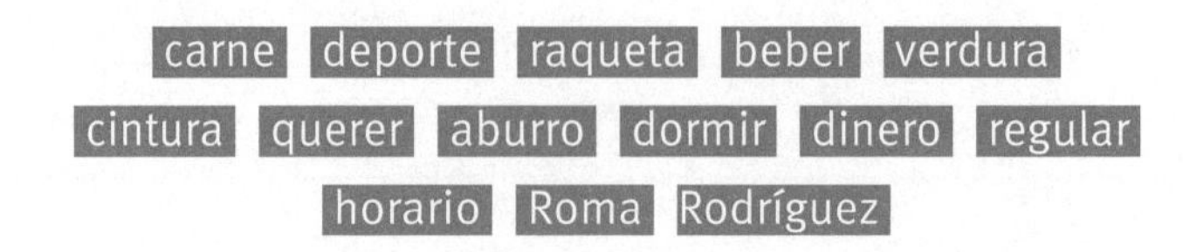

carne deporte raqueta beber verdura cintura querer aburro dormir dinero regular horario Roma Rodríguez

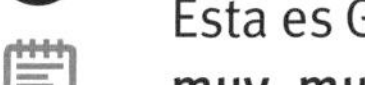

6 Los hábitos de Gloria LA 1

Esta es Gloria. Fíjate en la imagen y escribe toda la información que puedas sobre ella usando **muy, mucho, mucha, muchos, muchas.** Fíjate en la imagen.

7 El cuerpo LA 2

A. ¿Recuerdas el nombre de todas estas partes del cuerpo? Busca las palabras nuevas.

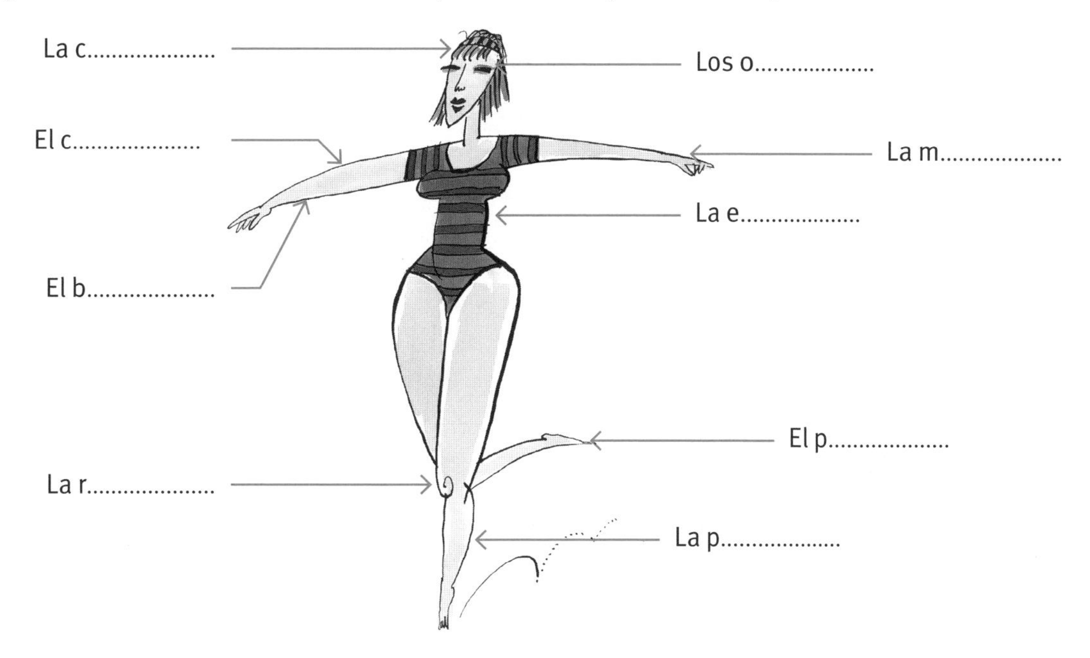

29

B. Escucha el programa de radio Todos en forma y señala en el dibujo qué partes del cuerpo se nombran.

C. Vuelve a escuchar y señala a qué imagen corresponde cada uno de los tres ejercicios.

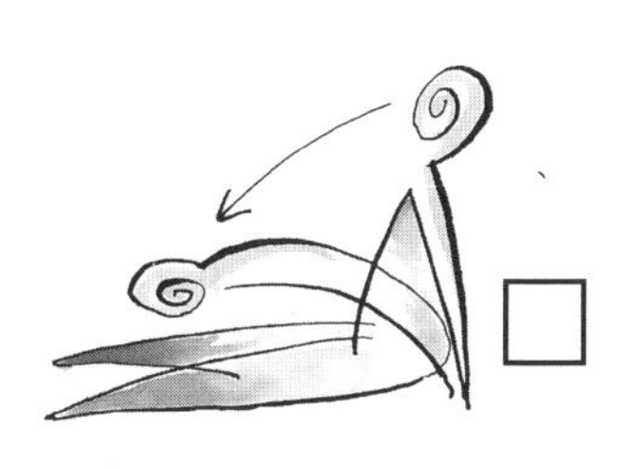

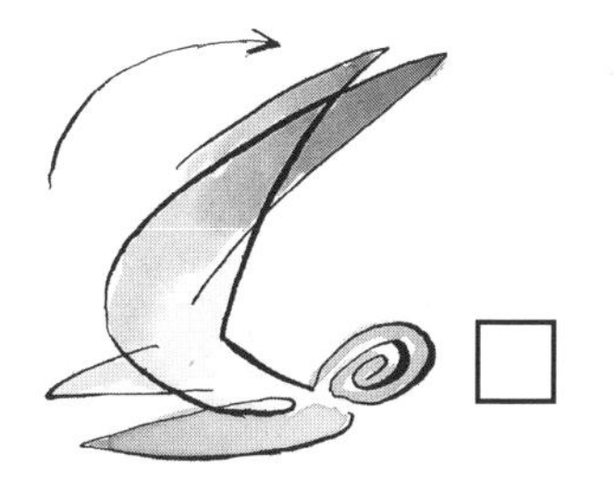

Primer ejercicio – 1
Segundo ejercicio – 2
Tercer ejercicio – 3

8 Es bueno para... LA 2

¿Para qué parte o partes del cuerpo es bueno hacer estas actividades? Relaciona y escribe frases.

ir en bicicleta →	la cintura
nadar	los brazos
jugar al ajedrez	la espalda
dar un paseo	las piernas
bailar	el corazón
jugar al golf	la mente
jugar al tenis	la circulación
hacer yoga	todo el cuerpo

Montar en bicicleta es bueno para las piernas. Y también subir escaleras y...

9 ¿Yo, tú, él...? LA 4

30

Vas a escuchar ocho frases. Marca a qué persona gramatical se refieren.

	1	2	3	4	5	6	7	8
yo								
tú								
él, ella, usted								
nosotros/as								
vosotros/as								
ellos/as, ustedes								

10 Rutinas LA 4

A. Observa a estas personas y decide después qué información corresponde a cada una.

1. Los jueves **se levanta** a las siete para ir al mercado. **Da** un paseo todos los días y **se acuesta** siempre a las once. Tiene dos hijos y seis nietos. ....
2. Los fines de semana **va** a un club de jazz. Cada semana **escribe** un correo electrónico a su madre, que es alemana. No **hace** mucho deporte, pero a veces va al gimnasio. ....
3. Los martes **juega** al fútbol con sus amigos del colegio. **Duerme** siempre más de ocho horas. Por la tarde **estudia** en casa y **ve** la tele. ....
4. **Quieren** comprar un coche, pero ahora no **tienen** dinero. **Comen** siempre juntos en casa: él **cocina** muy bien. **Piensan** demasiado en el trabajo. ....

B. Fíjate ahora en los verbos en **negrita** del ejercicio anterior y escribe sus formas en infinitivo.

se levanta ⟶ levantarse

11 Me acuesto pronto LA 4

Elige los verbos necesarios para completar estas conversaciones. ¡Pero no se puede repetir ninguno!

ir | levantarse | empezar | acostarse | tener | hacer | preferir | ducharse | bañarse | ver

1. ● ¿A qué hora .... vosotros normalmente?
   ❍ Yo, a las ocho, pero María, a las siete y media porque .... clase en la universidad a las nueve.
2. ● Carlos .... a las diez y media de la noche, porque .... a trabajar a las seis de la mañana.
3. ● Y tú, Marta, ¿Qué .... normalmente en vacaciones?
   ❍ Bueno, nada especial, mi marido y yo .... al apartamento de mis padres en Benidorm.
4. ● ¿Qué .... , ducharte o bañarte?
   ❍ Bueno, pues normalmente .... , pero a veces, especialmente los fines de semana, ...
5. ● ¿Y tus hijos .... mucho la televisión?
   ❍ ¡Uf! Muchísimo, dos o tres horas cada día.

12 Perdone, señora LA 6

31-32

Vas a escuchar a dos personas que contestan unas preguntas para un programa de radio. Marca quién dice cada información.

	LA SEÑORA	EL SEÑOR
Anda mucho: una hora diaria.		
Fuma y toma café.		
Juega al tenis.		
No toma café.		
Come mucha fruta.		
Juega al golf.		
Come mucha verdura.		
Toma mucha fibra.		

13 ¿Unas vacaciones aburridas? LA 6

A. Arturo te cuenta lo que hace un día normal de sus vacaciones. ¿Son tus vacaciones ideales? ¿Por qué?

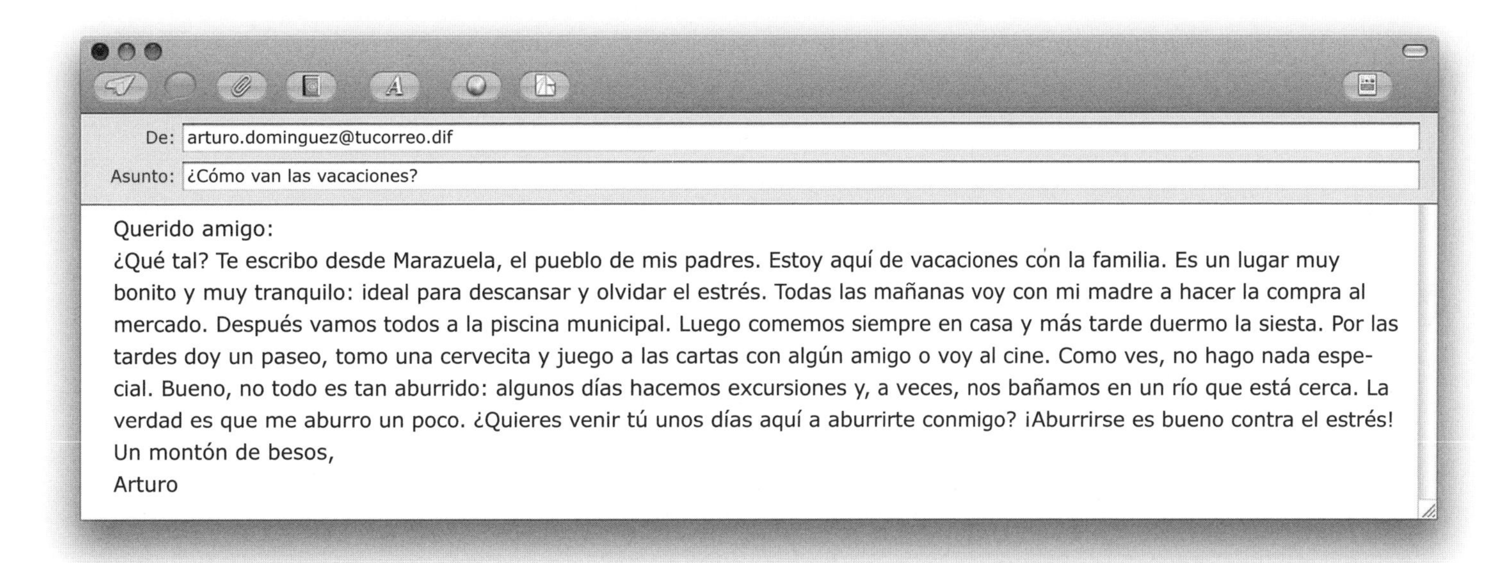

De: arturo.dominguez@tucorreo.dif
Asunto: ¿Cómo van las vacaciones?

Querido amigo:
¿Qué tal? Te escribo desde Marazuela, el pueblo de mis padres. Estoy aquí de vacaciones con la familia. Es un lugar muy bonito y muy tranquilo: ideal para descansar y olvidar el estrés. Todas las mañanas voy con mi madre a hacer la compra al mercado. Después vamos todos a la piscina municipal. Luego comemos siempre en casa y más tarde duermo la siesta. Por las tardes doy un paseo, tomo una cervecita y juego a las cartas con algún amigo o voy al cine. Como ves, no hago nada especial. Bueno, no todo es tan aburrido: algunos días hacemos excursiones y, a veces, nos bañamos en un río que está cerca. La verdad es que me aburro un poco. ¿Quieres venir tú unos días aquí a aburrirte conmigo? ¡Aburrirse es bueno contra el estrés!
Un montón de besos,
Arturo

B. Escribe en el cuadro las formas verbales que aparecen en el texto anterior. Después completa el resto.

		aburrirse	querer			hacer	dar			estar	ser
yo											
tú				duermes				tomas			
él, ella, usted			quiere		juega				va		
nosotros/as											
vosotros/as	os bañáis										
ellos/as, ustedes						hacen	dan				

C. Observa el cuadro anterior y completa la regla del presente de indicativo de los verbos en español.

En español hay tres grupos de verbos: los acabados en **–AR**, en **–ER** y en **–IR**. Muchos son regulares (**tomar**, **comer**, ...), pero también hay irregulares:

– Verbos con vocal **e** que se transforma en .... en las formas de **yo**, **tú**, **él/ella** y ....

Por ejemplo: **querer**, ... , ...

– Verbos con vocal **o** (o **u**) que se transforma en .... en las formas de **yo**, ... , ... y ....

Por ejemplo: .... , ... , ...

– Verbos con la forma **yo** irregular.

Por ejemplo: **hacer**, ... , ...

D. Ahora responde al correo de Arturo contándole qué haces tú en vacaciones.

14 **Consejos** LA 7

Completa estas ideas según tu propia opinión.

hay que | es bueno | tienes que | es necesario | es importante

1. Si quieres aprender español...
2. Si quieres comer bien...
3. Para tener buenos amigos...
4. Si quieres ganar mucho dinero...
5. Para conseguir un buen trabajo...
6. Para ser feliz...
7. Para no tener problemas con la pareja...
8. Para ahorrar/no gastar energía...

Si quieres aprender español tienes que ver películas hispanas en versión original y...

15 Tengo un problema LA 7

Da un consejo práctico a cada una de estas personas. Puedes usar **tener que** + infinitivo o **poder** + infinitivo.

1. ● Últimamente siempre estoy cansado.
   ❍ ....
2. ● Necesito un ordenador, pero estoy mal de dinero para comprarlo.
   ❍ ....
3. ● Mi suegra es viuda y está siempre en mi casa. ¡No tengo vida privada!
   ❍ ....
4. ● Quiero aprender español, pero ahora no puedo ir a España.
   ❍ ....

16 Un día de la vida Milagros LA 9

Completa los espacios en este texto con el pronombre reflexivo **se**, solo si es necesario.

Milagros ...se... despierta, ... ducha, ... viste a eso de las 7:30 h. Después .... despierta a su hijo Nicolás, le ayuda a vestir .... y, entonces, ... desayunan juntos. A las 8:30 h .... salen de casa, ... van hasta la parada del autobús y, allí, Milagros .... despide de Nicolás con un beso. A las 9:00 h .... llega a la oficina y .... pone a trabajar hasta la hora de la pausa, las 11:00 h más o menos. A esa hora, ... sale a desayunar algo, normalmente un bocadillo en el bar de la esquina. A las 12:00 h .... sienta otra vez a trabajar en su escritorio, hasta las 14:00 h. Como .... trabaja lejos de casa, ... queda a comer cerca de la oficina, en un restaurante de menú. Después de la comida, ... continúa trabajando. A las 17:00 h .... va de la oficina. Algunas tardes .... hace la compra y .... limpia la casa y otras .... juega al tenis con unas amigas, mientras su madre .... ocupa de Nicolás. A las 21:00 h .... prepara la cena para todos. A las 23:30 h .... relaja un rato viendo la tele hasta la hora de dormir.

17 Palabras que quiero recordar

Busca en esta unidad cinco palabras que te parece importante recordar. Escribe también qué significan.

ASÍ PUEDES APRENDER MEJOR

Las palabras en su contexto LA 7

A. Lee estos dos fragmentos del Libro del alumno con algunas palabras eliminadas. ¿Puedes entender el sentido general?

EL EJERCICIO FÍSICO Y LA ALIMENTACIÓN

[...] No es necesario hacer ejercicios físicos (a) xxxxxxx o violentos. Un (b) xxxxxxx paseo diario de una hora es tan bueno como media hora de bicicleta. Es importante (c) xxxxxxx el ejercicio físico de forma (d) xxxxxxx y constante: todos los días, o tres o cuatro veces por semana. [...]

EL EQUILIBRIO ANÍMICO

[...] unos hábitos regulares (e) xxxxxxx también una (f) xxxxxxx ayuda: acostarse y levantarse cada día a la (g) xxxxxxx hora, y tener horarios regulares diarios para el (h) xxxxxxx, la comida y la cena.

B. Ahora intenta escribir la palabra o palabras que pueden ir en lugar de xxxxxxx. Puede haber más de una opción posible.

a. ....
b. ....
c. ....
d. ....
e. ....
f. ....
g. ....
h. ....

C. Por último, observa estas palabras e intenta escribir un sinónimo en español o una expresión equivalente en tu lengua. Después mira en el diccionario y comprueba tus intuiciones.

[...] La (a) preocupación por las enfermedades y por la muerte (b) contribuye a (c) aumentar las emociones negativas. Ver la vida de forma positiva y (d) evitar los sentimientos de (e) culpabilidad puede ser una buena ayuda para (f) conseguir el equilibrio psíquico. [...]

a. ....
b. ....
c. ....
d. ....
e. ....
f. ....

Cuando leemos en una lengua extranjera nos sentimos inseguros y queremos leerlo todo. Pero para entender un mensaje no son necesarias todas las palabras que contiene.
Además, podemos descubrir el significado de muchas palabras y expresiones por el contexto en el que están: el tema del texto y las palabras que hay antes y después. A veces su parecido con palabras de otras lenguas también nos puede ayudar.

AUTOEVALUACIÓN

EN GENERAL				
Mi participación en clase				
Mi trabajo en casa				
Mis progresos en español				
Mis dificultades				

Y EN PARTICULAR					
Gramática					
Vocabulario					
Fonética y pronunciación					
Lectura					
Audición					
Escritura					
Cultura					
Expresión oral					

DIARIO PERSONAL

En la unidad GENTE EN FORMA lo que me parece más interesante es ....
....; sin embargo, ... no me parece tan interesante.
Ahora creo que sé mucho mejor .... aunque todavía tengo algunos problemas. En cuanto al tipo de ejercicios, en general prefiero .... porque ....
.............................; los ejercicios del tipo .... no me parecen muy útiles. En varias páginas se habla de la vida diaria de los españoles; si la comparo con la mía veo que ellos ....
...., mientras que nosotros ....

6 gente que come bien

1 Primeras palabras

A. ¿Conoces el significado de estas palabras? Relaciónalas con las imágenes.

chorizo .... lata de refresco .... menú .... sartén ....
aceite .... dieta .... tortilla de patata .... postre ....
pescado .... receta .... verdura .... huevos .... patatas ....

B. Piensa tú en otras palabras que creas que pueden ser útiles para esta unidad y escríbelas.

2 Me gusta muchísimo LA 1

A. Clasifica los nombres de los productos de las páginas 68 y 69 del Libro del alumno según tus gustos.

Me gusta muchísimo...	Me gusta bastante...	No me gusta mucho...	No me gusta nada...
...el queso...	....	....	....
Me gustan muchísimo...	**Me gustan bastante...**	**No me gustan mucho...**	**No me gustan nada...**
....	....	....	....

B. Ahora pon tú otros ejemplos. Si no sabes alguna palabra, usa el diccionario o pregúntasela a tu profesor.

3 La lista de la compra LA 2

A. Completa estas dos listas de la compra con las cantidades correspondientes.

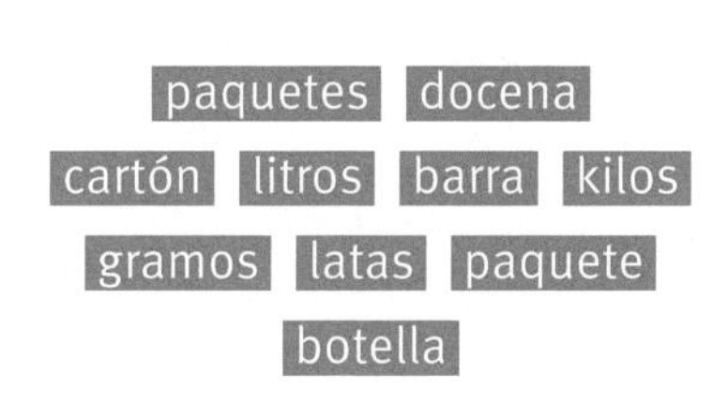

2 .... de leche
1 .... de azúcar
3 .... de cerveza
1 .... de huevos
2 .... de manzanas

1 .... de leche
1 .... de vino tinto
250 .... de queso
3 .... de macarrones
1 .... de pan

B. Busca en el Libro del alumno o en internet nombres de alimentos que se puedan combinar con las siguientes combinaciones de palabras.

Un paquete de ....
Un litro de ....
Un cartón de ....
Una barra de ....
Un tarro de ....

Una botella de ....
Una lata de ....
Una jarra de ....
Un kilo de ....
200 gramos de ....

Para buscar en internet puedes usar herramientas de búsqueda exacta dentro de un tema. Por ejemplo, escribe el tema que buscas y la frase exacta entre comillas en tu buscador habitual de internet: comida "una botella de".

4 En la sección de lácteos LA 2

A. En el supermercado La Cesta hay un empleado nuevo. ¿Puedes ayudarle a colocar cada producto en su sección?

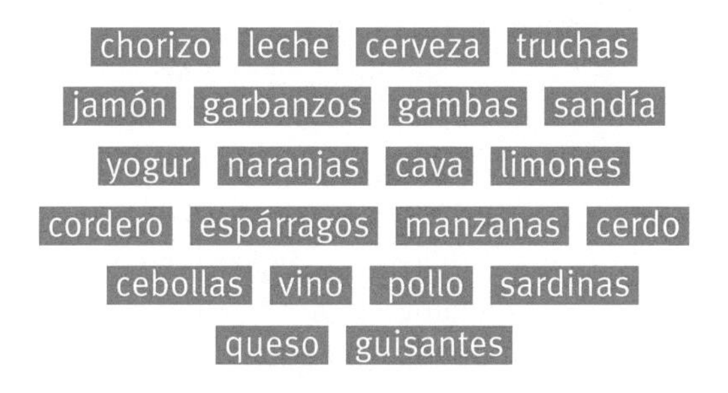

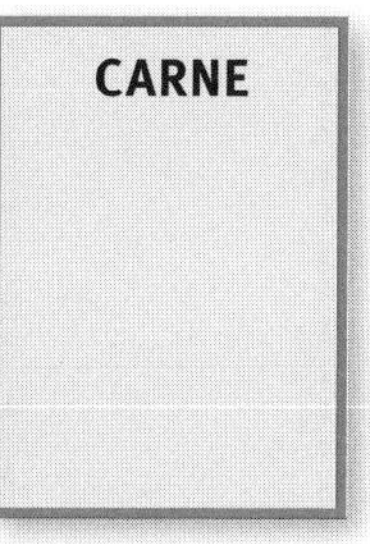

VERDURA	LEGUMBRES	EMBUTIDO	PESCADO	CARNE
		chorizo		

B. Completa las secciones con otros alimentos.

Hacer la compra LA 2

A. Escucha esta conversación en una tienda de comestibles y señala las respuestas.

33

1. ¿Qué dice el cliente para preguntar el precio de un producto?
   - ☐ ¿Cuánto valen las fresas?
   - ☐ ¿A cuánto están las fresas?
   - ☐ ¿Cuánto cuestan las fresas?

2. ¿Y para preguntar el precio total?
   - ☐ ¿Cuánto es todo?
   - ☐ ¿Cuánto vale todo?
   - ☐ ¿Cuánto cuesta todo?

3. ¿Qué artículos compra?
   - ☐ Fresas, huevos y azúcar.
   - ☐ Jamón, azúcar y fresas.
   - ☐ Leche, jamón y huevos.

B. Completa ahora este diálogo en una tienda.

- ● Hola, buenos días. ¿Qué le pongo?
- ○ ....
- ● Pues sí, tenemos estos, que son fantásticos.
- ○ ....
- ● Un kilo, muy bien. ¿Algo más?
- ○ ....
- ● A dos euros la docena.
- ○ ....
- ● Pan no tenemos. Lo siento.
- ○ ....
- ● A ver, son... 3 euros con 20 céntimos.
- ○ ....
- ● Gracias a usted. Hasta luego.
- ○ ....

6 Test sobre alimentación saludable LA 4

A. ¿Te alimentas de forma sana? Contesta a este test y comprueba tus resultados.

¿TE ALIMENTAS DE FORMA SANA?

1. ¿Comes carne de cerdo?
   - ☐ **a.** Sí, **una vez por semana**.
   - ☐ **b.** Sí, **cinco veces por semana**.
   - ☐ **c.** No, **nunca**.

2. ¿Comes huevos?
   - ☐ **a.** Sí, **dos por semana**.
   - ☐ **b.** Sí, **cada día**.
   - ☐ **c.** No, **casi nunca**.

3. ¿Tomas alcohol?
   - ☐ **a.** Sí, un poco de vino **con las comidas**.
   - ☐ **b.** Sí, **todos los días** tomo alguna copa (whisky, coñac) y cerveza.
   - ☐ **c.** No, no tomo alcohol.

4. ¿Comes "comida rápida"?
   - ☐ **a.** Sí, **de vez en cuando**.
   - ☐ **b.** Sí, **a menudo**.
   - ☐ **c.** No, **nunca** he estado en un McDonald's.

5. ¿Bebes agua?
   - ☐ **a.** Sí, un litro y medio **al día**.
   - ☐ **b.** ¿Agua? Sí, en la ducha.
   - ☐ **c.** Sí, tres litros **al día**.

6. ¿Comes pescado?
   - ☐ **a.** **Una o dos veces por semana**. Sobre todo a la plancha.
   - ☐ **b.** No, no me gusta mucho. Lo como **muy raramente**.
   - ☐ **c.** Sí, lo como **un día sí, un día no**.

7. Las ensaladas...
   - ☐ **a.** me gustan. Las como **siempre que puedo**.
   - ☐ **b.** **no** las como **muy a menudo**. Prefiero los fritos.
   - ☐ **c.** son mi plato preferido. Como ensalada **en cada comida**.

Si tienes mayoría de respuestas...
a: *te alimentas equilibradamente.*
b: *cuidado, tienes que cambiar algunos hábitos.*
c: *te alimentas bien pero no hay que exagerar. No hay que ser tan estricto con la dieta...*

B. Observa cómo funcionan las expresiones temporales en **negrita**. Después completa las siguientes usando una alimento. ¿Te alimentas realmente bien?

Piensa en algún alimento que tomas...

– en cada comida: ....
– todos los días: ....
– un día sí, un día no: ....
– dos o tres veces por semana: ....
– a menudo: ....
– siempre que puedes: ....
– de vez en cuando: ....
– no muy a menudo: ....
– raramente: ....
– casi nunca: ....
– nunca: ....

7 Soy alérgico a los frutos secos LA 5

A. A veces es muy importante saber qué alimentos lleva un plato. Piensa en una persona que conoces y responde a las siguientes preguntas.

1. Alguien que es alérgico a algún tipo de comida. ¿Quién? .... ¿A qué cosa? ....
2. Alguien que no puede tomar algún alimento. ¿Quién? .... ¿Qué cosa? ....
3. Alguien a quien no le gusta un sabor. ¿Quién? .... ¿De qué cosa? ....

B. Completa las frases con las expresiones de las etiquetas.

lleva carne
tiene gas
lleva harina de trigo
lleva cacahuetes
lleva alcohol
tiene mucha grasa
lleva salsa roquefort
lleva gambas

– ¿ ......Lleva carne...... ? Es que soy vegetariano.
– ¿ .... ? Es que soy alérgico a los frutos secos.
– ¿ .... ? Es que no me sienta bien el marisco.
– ¿ .... ? Es que me sientan mal las bebidas con gas.
– ¿ .... ? Es que no puedo comer gluten.
– ¿ .... ? Es que no me gusta el queso.

C. ¿Hay algún ingrediente que necesitas evitar? ¿Sabes cómo se llama en español? Busca en el diccionario o pregunta a tu profesor.

8 Platos típicos LA 6

A. Lee estas definiciones de platos típicos españoles. ¿Sabes cómo se llama cada uno?

1 Es una sopa fría, de origen andaluz. Lleva tomates, pimientos, cebolla, pan, ajo, aceite, vinagre y agua. Se toma especialmente en verano.

2 Se prepara con trozos de tomate, pimiento, cebolla y otras verduras, cocinados muy despacio. Se toma con huevos fritos. Es un plato muy típico de La Mancha.

3 Es el plato español más conocido. El ingrediente principal es el arroz, pero lleva muchas otras cosas: se puede poner pescado, pollo, conejo u otras clases de carne. Lleva algunas verduras y, muchas veces, marisco. Su origen está en Valencia, pero se come en todo el país.

4 Es un plato típico de Madrid. Lleva muchísimas cosas: garbanzos, chorizo, carne de cerdo, verduras, etc. Primero, se toma una sopa de fideos y, luego, las verduras y las carnes con las que se ha hecho la sopa. Se come especialmente en invierno porque es un poco pesado.

☐ **Pisto** ☐ **Paella** ☐ **Cocido** ☐ **Gazpacho**

B. En parejas o en grupos, cada uno elige un plato de la lista y busca información sobre él en internet. Después entre vosotros os hacéis preguntas para saber cómo es.

De primero... LA 7

A. En un menú cada uno de estos platos suele corresponder a un orden determinado. ¿Puedes decir cuál?

- Ensalada mixta
- Sancocho
- Ensaimada
- Locro
- Bienmesabe
- Ceviche
- Fideuá
- Pozole
- Dulce de leche
- Zarangollo
- Arroz con patacones (o tostones)

¿Es un postre / un primer plato...?
¿Lleva harina / leche...?
¿Se hace al horno / a la plancha...?
¿Se toma a mediodía / por la noche / a cualquier hora / en días especiales...?
¿Se come en España / Venezuela / Chile...?

B. ¿Puedes añadir tú otros platos al menú?

- filete de ternera con patatas
- judías verdes con patatas
- flan
- costillas de cerdo
- helado
- crema de champiñones
- calamares a la romana
- huevos con chorizo
- manzana al horno
- pollo asado
- merluza a la romana
- espárragos con mayonesa
- sopa de pescado
- ensaladilla rusa
- salmorejo
- tarta de Santiago
- crema catalana
- yogur natural

MENÚ DEL DÍA

Primer Plato	Segundo Plato	Postre
Sopa de pescado	Calamares a la romana	Crema catalana
....	....	....
....	....	....
....	....	....
....	....	....

10 En el restaurante LA 7

¿Cómo te imaginas una típica conversación entre un camarero y un cliente en un restaurante? Usa las siguientes frases.

CAMARERO
- ¿Qué va a tomar?
- ¿Y para beber?
- Ahora mismo. ¿De postre quiere algo?
- Es bacalao fresco, fantástico...
- ¿Y de segundo?

CLIENTE
- Pues entonces bacalao.
- Por favor, un poco más de agua.
- Pues de primero la sopa de la casa.
- No, gracias. Un café solo y me trae la cuenta, por favor.
- Agua mineral sin gas.
- A ver... ¿El bacalao qué tal?

- ● ....
- ○ ....
- ● ....
- ○ ....
- ● ....
- ○ ....
- ● ....
- ○ ....

(un rato después)

- ○ ....
- ● ....
- ○ ....

11 Cosas de cocina LA 9

¿Puedes completar este crucigrama con el nombre de estos objetos de cocina?

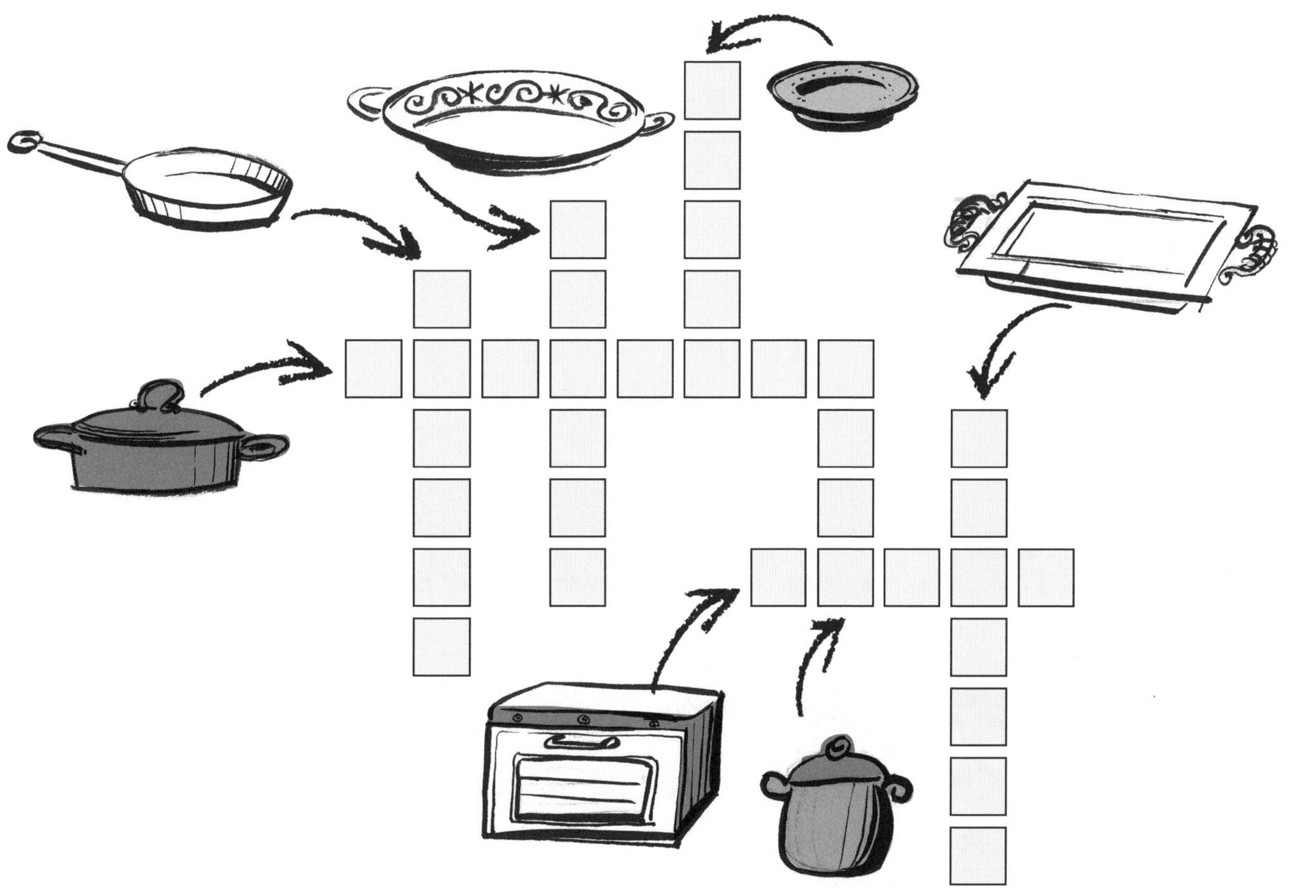

12 Puré de manzana LA 9

A. Si quieres obtener la receta completa del puré de manzana, tienes que relacionar los elementos de las dos columnas.

Se pelan	un poco de mantequilla en una cacerola
y se cortan	las manzanas con un poco de sal.
Después, se calienta	durante diez minutos.
y se añaden	las manzanas
Se pone	en trozos pequeños.
y se hierve todo	un vaso de agua y medio de vino blanco

B. ¿Puedes escribir la receta de tu plato preferido?

13 **¿Cómo se comen?** LA 9

¿Puedes encontrar dos ejemplos de alimentos para cada caso? ¡Pero sin repetir ninguno!

1. Se comen crudos: ....plátanos...... , ...
2. Se hacen a la plancha: .... , ...
3. Se hacen en una sartén: .... , ...
4. Llevan salsa: .... , ...
5. Se hierven: .... , ...
6. Se comen sin sal: .... , ...
7. Se asan en el horno: .... , ...
8. Se pelan: .... , ...

14 **Pollo con ciruelas** LA 9

Esta receta tiene un problema lingüístico: se repiten muchos nombres. ¿Puedes escribir nuevamente el texto utilizando los pronombres objeto directo **lo**, **la**, **los**, **las** donde son necesarios?

POLLO CON CIRUELAS

INGREDIENTES
para cuatro personas

- 1 pollo mediano
- 2 vasos de vino blanco
- 1 cebolla grande
- 1 vaso (pequeño) de jerez
- 250 gr de ciruelas pasas
- sal y pimienta

PREPARACIÓN

Primero, hay que cortar el pollo en trozos y limpiar **los trozos de pollo** y salar **los trozos.** Después, poner un poco de aceite en una cacerola, calentar **el aceite** y freír el pollo por los dos lados durante diez minutos, retirar **el pollo** y guardar **el pollo.** En el mismo aceite, echar la cebolla y freír **la cebolla.** Es mejor freír **la cebolla** a fuego lento, así no se quema. Luego, añadir el pollo y poner en la cacerola las ciruelas y mezclar bien **las ciruelas** con el pollo y con la cebolla. Añadir el vino y el jerez y dejar cocer durante 25 minutos.

15 Un producto típico español LA 9

A. ¿Sabes qué es cada cosa? En vertical leerás un producto típico español.

1. Es una fruta que se cultiva mucho en el Mediterráneo. Su zumo se toma muy a menudo para desayunar.
2. Es un objeto metálico para conservar alimentos.
3. Es un marisco rojo, muy rico a la plancha. Se pone también en la paella.
4. Se toma después del segundo plato.
5. Es una bebida. Puede ser blanco, tinto o rosado.

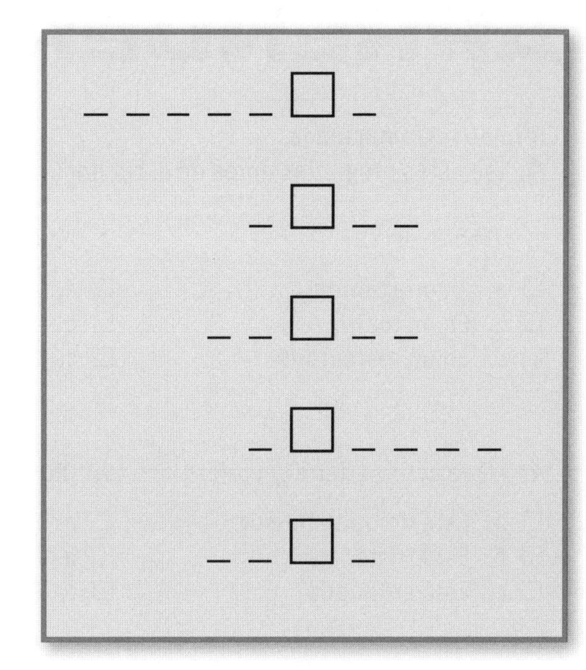

B. Piensa en otros dos productos españoles y escribe una definición para cada uno. Después tus compañeros tendrán que adivinar de qué se trata.

Es...

16 Pepe y Elvira LA 11

Elvira, la mujer de Pepe Corriente, nos cuenta lo que han comido hoy. Lee el texto y complétalo con las siguientes palabras.

al horno | tapas | patatas | fruta | aperitivo
leche | bocadillo | mantequilla | postre | zumo

Hoy, para desayunar, hemos tomado un café con .... , ... de naranja y pan con .... y mermelada. A eso de las dos hemos ido a una cervecería del centro para tomar el .... con unos amigos: un par de vinos y unas .... Hemos comido tarde, a las tres y pico, en casa de la madre de Pepe. Nos ha preparado un pescado .... con .... que estaba riquísimo, y de .... ha hecho natillas. Para cenar, yo no he tomado casi nada, solo un poco de .... , pero Pepe se ha preparado un .... de jamón y queso.

ASÍ PUEDES APRENDER MEJOR

17 **Libro de reclamaciones**

34

A. Lee estas preguntas antes de escuchar una conversación entre dos personas. Después escucha y responde.

1. ¿Dónde están?

☐ **a.** En una tienda.
☐ **b.** En un teatro.
☐ **c.** En un restaurante.

2. ¿Qué relación hay entre ellos?

☐ **a.** Amigos que comen juntos.
☐ **b.** Camarero y cliente.
☐ **c.** Camarero y encargada de restaurante.

3. ¿De qué están hablando?

☐ **a.** Del precio de la comida.
☐ **b.** De política.
☐ **c.** De problemas del servicio.

4. ¿Qué actitud tiene la mujer?

☐ **a.** Está de buen humor.
☐ **b.** Está triste.
☐ **c.** Está enfadada.

5. ¿Por qué?

☐ **a.** Por el ruido.
☐ **b.** Porque no le sirven lo que pide.
☐ **c.** Por la temperatura.

6. ¿Y qué hace el hombre?

☐ **a.** Se sorprende.
☐ **b.** Se enfada.
☐ **c.** Pide perdón.

B. ¿Qué te ha ayudado a contestar estas preguntas?

a. Sonido del ambiente:

☐ sí
☐ no
☐ un poco

b. Actitud y tono de voz de las personas:

☐ sí
☐ no
☐ un poco

c. Palabras clave:

.... ,

.... ,

....

C. Vuelve a escuchar. ¿Necesitas conocer todas las palabras para entender la situación?

Libro de Reclamaciones

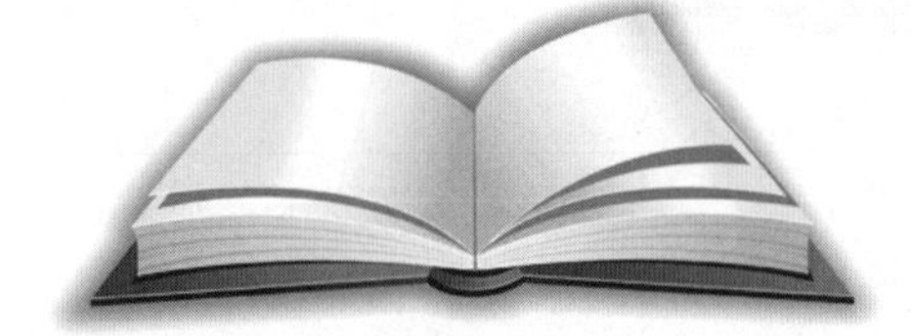

Conforme a lo establecido en el Código de Protección y Defensa del Consumidor este establecimiento cuenta con un Libro de Reclamaciones a tu disposición. Solicítalo para registrar la queja o reclamo que tengas.

Entender una conversación es algo más que entender lo que se dice: es comprender lo que pasa. Para conseguirlo no es necesario saber qué significan todas las palabras. Lo acabas de comprobar, ¿no?

AUTOEVALUACIÓN

EN GENERAL				
Mi participación en clase				
Mi trabajo en casa				
Mis progresos en español				
Mis dificultades				

Y EN PARTICULAR					
Gramática					
Vocabulario					
Fonética y pronunciación					
Lectura					
Audición					
Escritura					
Cultura					
Expresión oral					

DIARIO PERSONAL

En las secciones de GENTE QUE COME BIEN me ha parecido muy interesante ...., pero no me ha parecido tan interesante .... Creo que he aprendido mucho sobre .... aunque me parece que todavía tengo problemas con .... También he aprendido .... y .... Para no olvidar palabras nuevas lo que hago es .... y a veces también ....

Me gustaría pedirle al profesor más actividades para practicar ....

En general, creo que estoy avanzando (muchísimo/mucho/bastante/poco).

7 gente que trabaja

Apellidos: GARCÉS SEVILLA
Nombre: MARINA

Lugar de nacimiento: Granada
Edad: 31 años
Domicilio actual: Pza. Julio Cortázar, 3, Madrid
Teléfono: 65589432

Estudios: Grado en Publicidad y Ciencias de la Comunicación.

Idiomas: español (lengua materna), inglés (oral y escrito), conocimientos de alemán (oral).

Experiencia laboral: he hecho prácticas durante 6 meses en una agencia de publicidad en Londres, he trabajado un año y medio como guía turístico y he sido *maître* del restaurante familiar. Actualmente estoy haciendo un curso de cocina.

Carácter: comunicativa, sociable y organizada.

Aficiones: escalada, esquí y pintura.

Otros: he dirigido la asociación de montañismo CUMBRE y he sido redactora de la revista electrónica de la asociación. Me he ocupado del grupo infantil de la misma.

1 Primeras palabras

A. ¿Conoces el significado de estas palabras? Relaciónalas con las imágenes.

currículum .... oficina .... tocar el piano ....
trabajo .... experiencia .... cocinero ....
enfermera .... peluquería .... profesión ....

B. Piensa tú en otras palabras que creas que pueden ser útiles para esta unidad y escríbelas.

2 Profesiones y razones LA 3

A. Haz dos listas: las profesiones que más te gustan y las que menos te gustan. Escribe por qué.

Las profesiones que más me gustan	Las profesiones que menos me gustan
....	....
....	....
....	....
....	....

B. Ahora pregunta a tus compañeros por las profesiones que ellos han elegido. ¿Se repite alguna? ¿Coinciden vuestras razones?

- ● *A mí las tres que más me gustan son médico, bombero y científico.*
- ○ *A mí bombero no me gusta nada porque es un trabajo de mucha responsabilidad y muy estresante. Además es muy peligroso.*
- ■ *Pues a mí me gusta porque no es nada monótono y porque ayudas a la gente.*

3 Las profesiones de mis conocidos LA 1

Piensa en tus amigos, familiares y en varias personas que conoces. Después, con la ayuda del diccionario, escribe su profesión.

Mi padre trabaja en una agencia de publicidad.

Mi hermana da clases de repaso.

Mi amiga Hannah organiza fiestas y eventos para empresas.

Muchas veces el trabajo de una persona no tiene un nombre específico y decimos el lugar donde trabaja, el sector o, simplemente, describimos lo que hace.

4 ¿Qué están haciendo? LA 4

A. ¿A qué persona de la imagen se refiere cada frase?

- ☐ 1. Está haciendo una reparación.
- ☐ 2. Está dando un paseo.
- ☐ 3. Están yendo de excursión.
- ☐ 4. Está pidiendo un crédito.
- ☐ 5. Está escribiendo un correo electrónico.
- ☐ 6. Está mirando un cuadro.
- ☐ 7. Está cuidando las plantas.
- ☐ 8. Está diciéndole algo a un cliente.
- ☐ 9. Está leyendo un folleto.

B. Subraya la formas en gerundio y escribe los infinitivos. ¿Puedes decir cuáles son irregulares?

C. Observa estas imágenes y di qué pueden estar haciendo las personas.

....

5 Ser amable es importante LA 5

¿En qué profesiones son importantes estas cualidades? Puedes consultar el diccionario.

ser amable	saber escuchar	tener paciencia	ser una persona comunicativa
camarero/a..................	....	....	....
....	....	....	....
....	....	....	....

ser tranquilo	ser una persona organizada
....	....
....	....
....	....

6 Profesiones diferentes LA 5

35-39

A. Escucha estas entrevistas hechas a cinco mujeres que hablan de su vida y de su trabajo. Fíjate en las ilustraciones y anota en qué orden hablan.

☐ ANA	☐ JUANA	☐ LUCÍA	☐ BEATRIZ	☐ PEPA

B. ¿A qué crees que se dedica cada una de las entrevistadas? Coméntalo con un compañero.

- ● *Yo creo que Ana es una mujer de negocios.*
- ❍ *También puede ser manager de una empresa importante.*
- ■ *Sí, o...*

7 Palabras que van juntas LA 5

A. ¿Qué palabras usamos con cada uno de estos verbos? Algunas pueden acompañar a más de uno.

escuchar | idiomas | experiencia | buena presencia | un instrumento | paciencia | poesía | buen carácter | dinámico/a | deporte | trabajar en equipo | el piano | sociable | tímido/a | informática | teatro | voluntad de progresar | viajar | novelas | gimnasia

estar dispuesto a	saber	tener
....	....	....
....	....	....
....	....	....
....	....	....
....	....	....

tocar	hacer	escribir	ser
....	....	....	....
....	....	....	....
....	....	....	....
....	....	....	....
....	....	....	....

B. Ahora en parejas, añadid otras palabras para cada verbo.

8 ¿Estudias o trabajas? LA 5

¿Estás trabajando o estudiando? Describe tu puesto de trabajo o lo que piensas sobre ser estudiante.
Si lo necesitas, consulta el diccionario.

Soy .... y trabajo / estudio en .... , que está en .... Es muy ....

.... porque .... Tiene cosas buenas: ....

y .... Pero también aspectos negativos: ....

Mis compañeros son ....

Mi jefe / profesor es ....

El ambiente, en general, es .... porque ....

9 Profesiones de mi entorno LA 5

Piensa en dos personas de tu entorno (familiares, amigos, conocidos...) que consideras buenos profesionales.
Trata de describir y de valorar su vida laboral, los aspectos positivos y negativos, como en el ejemplo.

Mi amigo Peter es músico. Toca la batería. Es un buen batería. Es una profesión muy creativa y muy bonita, pero ser músico no es fácil: hay que luchar mucho y tener mucha paciencia porque a veces no hay trabajo y se gana poco dinero.

¿Qué ha hecho Alicia? LA 6

40

A. Después de algunos años en el extranjero, Alicia busca empleo en España. Escúchala en una entrevista de trabajo. ¿En qué tiempo escuchas estos verbos, en presente o en pretérito perfecto? Márcalo en la tabla.

	Presente	Pretérito perfecto
hablar		
gustar		
encantar		
estudiar		
estudiar		
vivir		
hablar		
vivir		
estar		
viajar		
estar		
ser		
llamarse		

	Presente	Pretérito perfecto
ser		
empezar		
empezar		
acompañar		
estudiar		
tener		
trabajar		
terminar		
empezar		
gustar		
conocer		
viajar		
aprender		

B. Fíjate en la información que has escrito en la tabla. ¿Puedes escribir un texto contando qué cosas ha hecho Alicia?

Entrevista de trabajo LA 7

41-43

Vas a escuchar tres entrevistas hechas a unos españoles que buscan trabajo: Pepe, Clara y Amalia. Marca con una X en el lugar correspondiente.

	Pepe	Amalia	Clara
Ha estudiado en la universidad.			
Ha trabajado tres años en una empresa danesa.			
Ha hecho el servicio militar.			
Ha trabajado de camarero/a.			
Ha estudiado Ciencias Exactas.			
Ha trabajado en el extranjero.			
Ha dado clases en una universidad privada.			
Habla tres idiomas extranjeros.			
Ha trabajado y estudiado al mismo tiempo.			
Ha hecho la tesis doctoral.			
Habla inglés.			
Ha vivido en Francia y en Alemania.			

12 Participios LA 7

¿Recuerdas cómo se forman los participios? Estos son los infinitivos de algunos verbos que ya han aparecido en el curso.

INFINITIVO		PARTICIPIO	INFINITIVO		PARTICIPIO
jugar	→	jugado	alquilar	→	....
beber	→	....	pronunciar	→	....
ir	→	....	escribir	→	....
dormir	→	....	escuchar	→	....
tener	→	....	desayunar	→	....
buscar	→	....	leer	→	....
pagar	→	....	estar	→	....
visitar	→	....			

13 Piensa en un famoso que... LA 7

A. Completa la lista con nombres de famosos. ¿Cuántos puedes encontrar? Calcula cuántos minutos tardas en hacerlo y anótalo.

Datos	Nombre
Ha ganado un Óscar.	
Ha ganado Wimbledon.	
Ha sido presidente de los Estados Unidos.	
Ha luchado contra el racismo.	
Ha trabajado con Gorge Clooney.	
Ha escrito novelas en español.	
Ha estado en la cárcel.	
Ha vivido en Cuba.	
Ha tocado muchas veces con John Lennon.	
Ha hecho una película con Marilyn Monroe.	
Ha trabajado con Francis F. Coppola.	
Ha jugado en el Barça, el equipo de fútbol de Barcelona.	
Ha escrito una novela en francés.	
Ha participado en unas olimpiadas.	

He completado .... personajes.

B. En parejas escribid un test similar con otros personajes. Después intercambiad vuestro test con otra pareja y competid. ¿Cuál acierta más respuestas en tres minutos?

Mis habilidades LA 9

A. ¿Sabes hacer estas cosas? Primero, márcalo en el cuadro y, luego, escribe cinco frases.

	muy bien	bien	regular	no sé
cocinar				
bailar				
jugar al tenis				
nadar				
esquiar				
cantar				
escuchar a los demás				
hablar en público				
disimular				
dibujar				
escribir				
contar chistes				

No sé dibujar.

Dibujo bastante bien.

....

....

....

....

....

44

B. Ahora escucha las siguientes preguntas y trata de contestarlas.

- *¿Hablas italiano?*
- *Sí, un poco.*

Pasaporte de lenguas

A. ¿Qué idiomas hablas, además de tu lengua y el español? ¿Qué nivel tienes?

IDIOMA	COMPRENDER		HABLAR		ESCRIBIR
	Comprensión auditiva	Comprensión de lectura	Interacción oral	Expresión oral	

B. Ahora cuéntaselo a un compañero.

- *El español. Lo hablo y lo leo un poco. Lo entiendo bastante. Lo escribo solo un poco.*

Mi currículum LA 10

Siguiendo los dos modelos que hay en la página 85 del Libro del alumno escribe tu propio currículum en español.

Apellidos: ....
Nombre: ....
Lugar de nacimiento: ....
Edad: ....
Domicilio actual: ....
Teléfono: ....
Estudios: ....
Idiomas: ....
Experiencia laboral: ....
Carácter: ...., ... y ....
Aficiones: ...., ... y ....
Otros: ....

17 Candidatos LA 10

A. Aquí tienes algunas ofertas de trabajo y los perfiles laborales de tres personas. ¿Qué puestos son adecuados para cada uno? Justifica por qué.

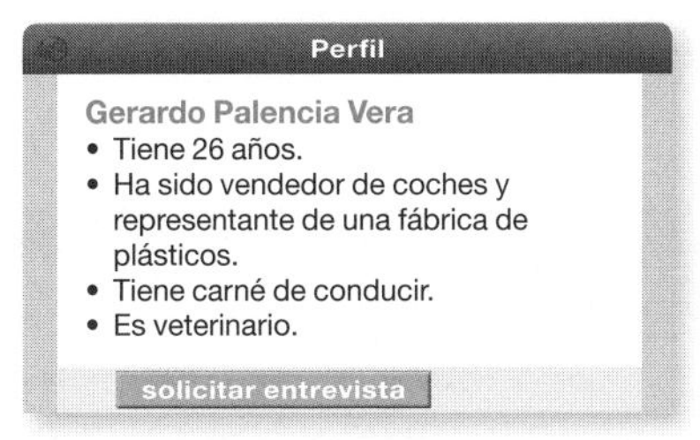

Perfil

Gerardo Palencia Vera
- Tiene 26 años.
- Ha sido vendedor de coches y representante de una fábrica de plásticos.
- Tiene carné de conducir.
- Es veterinario.

solicitar entrevista

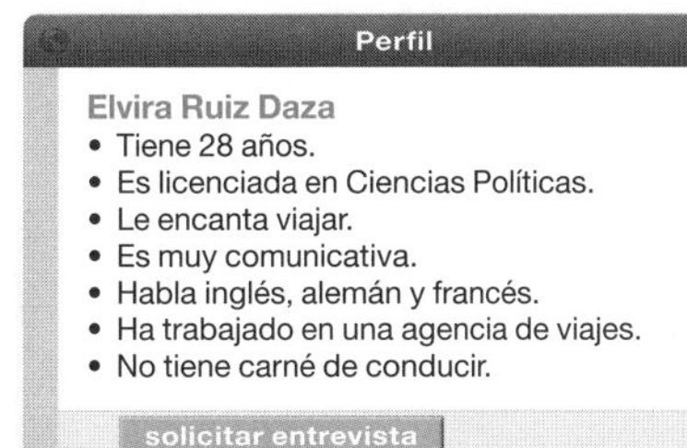

Perfil

Elvira Ruiz Daza
- Tiene 28 años.
- Es licenciada en Ciencias Políticas.
- Le encanta viajar.
- Es muy comunicativa.
- Habla inglés, alemán y francés.
- Ha trabajado en una agencia de viajes.
- No tiene carné de conducir.

solicitar entrevista

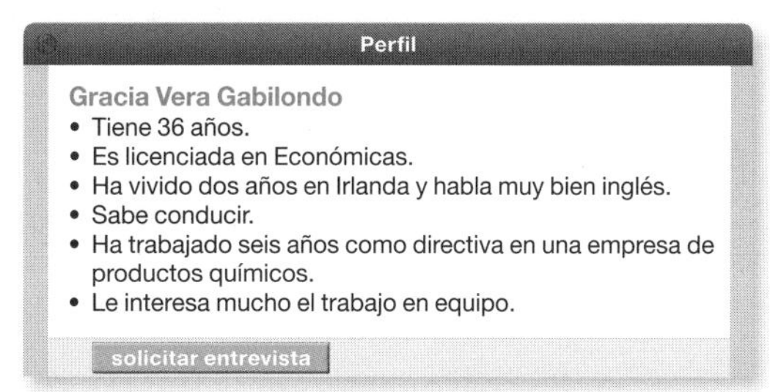

Perfil

Gracia Vera Gabilondo
- Tiene 36 años.
- Es licenciada en Económicas.
- Ha vivido dos años en Irlanda y habla muy bien inglés.
- Sabe conducir.
- Ha trabajado seis años como directiva en una empresa de productos químicos.
- Le interesa mucho el trabajo en equipo.

solicitar entrevista

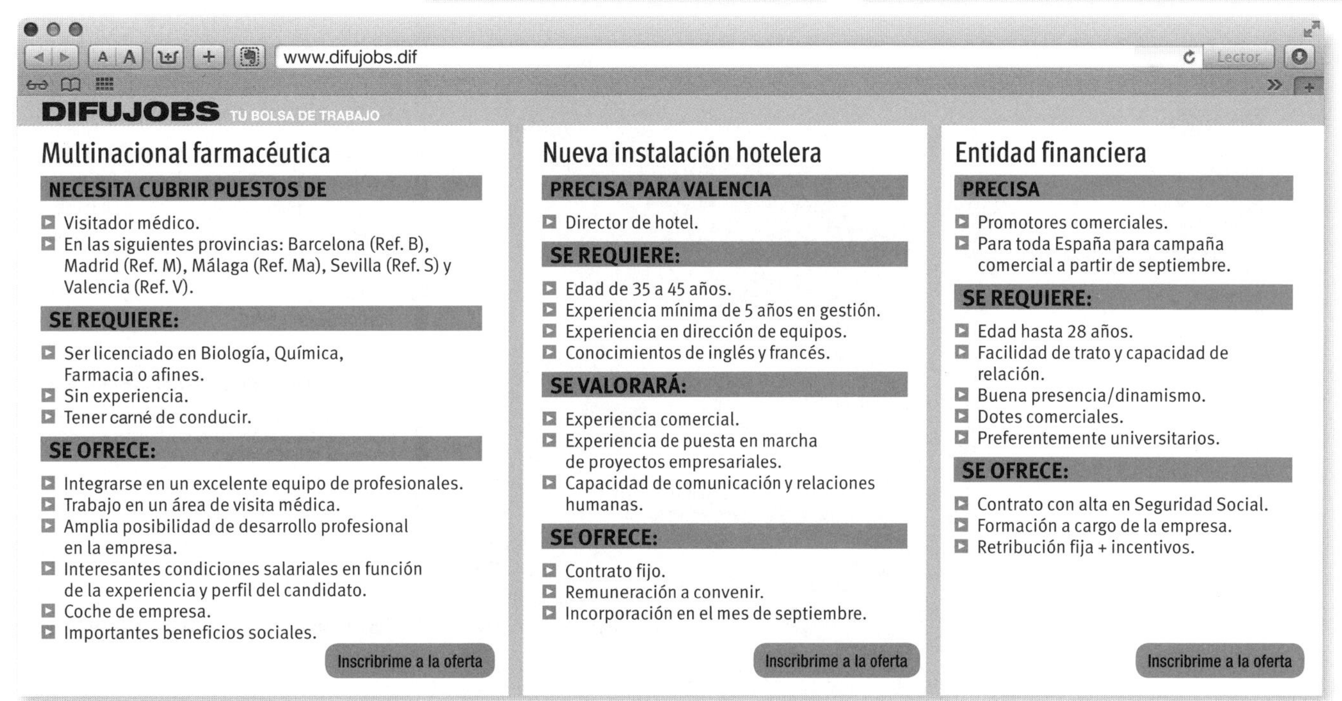

www.difujobs.dif

DIFUJOBS TU BOLSA DE TRABAJO

Multinacional farmacéutica

NECESITA CUBRIR PUESTOS DE
- Visitador médico.
- En las siguientes provincias: Barcelona (Ref. B), Madrid (Ref. M), Málaga (Ref. Ma), Sevilla (Ref. S) y Valencia (Ref. V).

SE REQUIERE:
- Ser licenciado en Biología, Química, Farmacia o afines.
- Sin experiencia.
- Tener carné de conducir.

SE OFRECE:
- Integrarse en un excelente equipo de profesionales.
- Trabajo en un área de visita médica.
- Amplia posibilidad de desarrollo profesional en la empresa.
- Interesantes condiciones salariales en función de la experiencia y perfil del candidato.
- Coche de empresa.
- Importantes beneficios sociales.

Inscribirme a la oferta

Nueva instalación hotelera

PRECISA PARA VALENCIA
- Director de hotel.

SE REQUIERE:
- Edad de 35 a 45 años.
- Experiencia mínima de 5 años en gestión.
- Experiencia en dirección de equipos.
- Conocimientos de inglés y francés.

SE VALORARÁ:
- Experiencia comercial.
- Experiencia de puesta en marcha de proyectos empresariales.
- Capacidad de comunicación y relaciones humanas.

SE OFRECE:
- Contrato fijo.
- Remuneración a convenir.
- Incorporación en el mes de septiembre.

Inscribirme a la oferta

Entidad financiera

PRECISA
- Promotores comerciales.
- Para toda España para campaña comercial a partir de septiembre.

SE REQUIERE:
- Edad hasta 28 años.
- Facilidad de trato y capacidad de relación.
- Buena presencia/dinamismo.
- Dotes comerciales.
- Preferentemente universitarios.

SE OFRECE:
- Contrato con alta en Seguridad Social.
- Formación a cargo de la empresa.
- Retribución fija + incentivos.

Inscribirme a la oferta

Elvira puede solicitar el puesto de .... porque ....

Gerardo puede solicitar el puesto de .... porque ....

Gracia puede solicitar el puesto de .... porque ....

B. ¿Y tú? A qué oferta puedes presentarte. Escribe una carta de presentación.

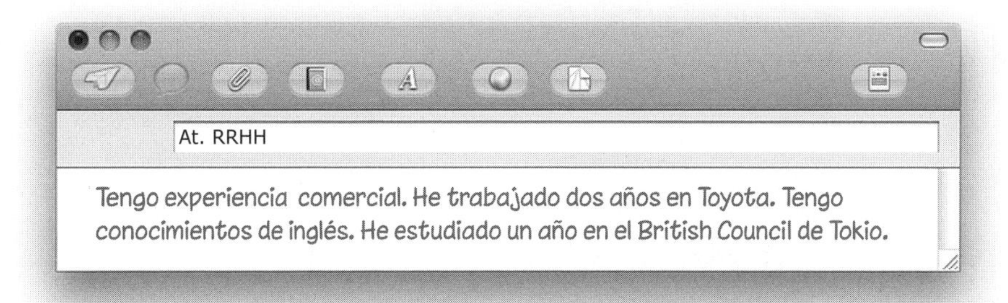

18 La sílaba tónica

45

En español todas las palabras tienen una sílaba fuerte. Escucha estas palabras. ¿Cuáles son las sílabas fuertes? Márcalas.

tra – ba – jar	mo – nó – to – no	pro – fe – sio – nal	á – ra – be
tra – ba – ja – dor	rá – pi – do	in – glés	me – xi – ca – no
puer – ta	gui – ta – rra	pro – fe – sión	pe – li – gro
ga – nar	Mé – xi – co	tra – ba – ja – do	mú – si – co

ASÍ PUEDES APRENDER MEJOR

Antes de leer

Sin leer estos textos, contesta estas preguntas.

– **¿Cuál habla de trabajo, cuál de viajes y cuál de compras?**

– **¿En cuál puedes encontrar las siguientes palabras?**

- empresa
- verano
- Caribe
- resistente
- Recursos Humanos
- isla
- medidas

ROBERT BOSCH ESPAÑA, S.A.

precisa cubrir dos puestos:

VENDEDORES PARA EL SECTOR DE REPUESTOS DEL AUTOMÓVIL

La zona de trabajo estará ubicada dentro de un radio de acción de 300 km alrededor de Madrid.

SE REQUIERE:
Formación como Ingeniero Técnico o similar.
Experiencia mínima de 5 años en venta repuestos del automóvil.
Carnet de conducir.
Disponibilidad para viajar.

SE OFRECE:
Formar parte de la plantilla.
Salario fijo más parte variable en función de consecución de objetivos.
Coche por cuenta de la empresa.
Formación continuada.

Las personas interesadas pueden enviar un correo electrónico a rrhh_empleo@boschespana.es o dirigirse, indicando en el sobre la referencia VENDEDORES, a:

Robert Bosch España
Financiacion y Sevicios, S. A.
Departamento de Recursos Humanos
Apartado de Correos 35106
28080 Madrid

El maletín más completo para llevar su PC portátil, el móvil, papeles, cables, discos...

Este maletín Porta-PC es la mejor solución para llevar su "despacho móvil" a todas partes con la máxima seguridad para su PC., con todo lo que necesite en perfecto orden y con el teléfono móvil, la agenda, los bolígrafos, etc. siempre a mano.

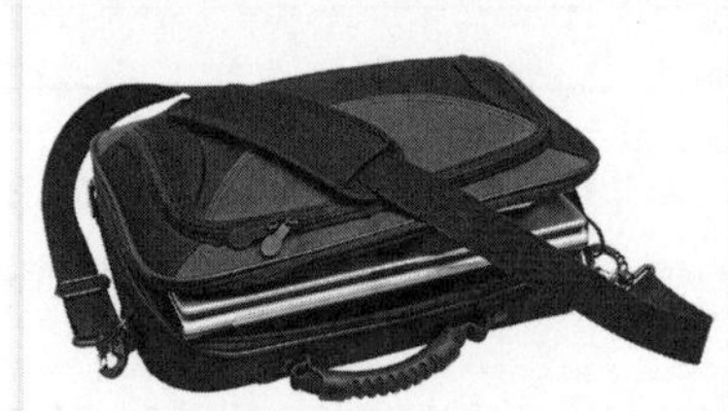

No encontrará otro con estas características:
- Estructura resistente de vinilo reforzado con nailon.
- Paneles acolchados de protección.
- Compartimentos especiales para cables, baterías, etc.
- Bolsillo exterior para teléfono móvil.
- Tres compartimentos exteriores para documentos y carpetas.
- Bolsillos y bandas interiores para tarjetas, bolígrafos, etc.
- Bandas de ajuste con velcro para sujetar cualquier PC portátil.
- Bandolera reposicionable de medida ajustable.

¡LIGERO, MUY RESISTENTE Y CON MULTITUD DE COMPARTIMENTOS!

Por su funcionalidad, su sorprendente capacidad, su ligereza y su elegante diseño, el Maletín Porta-PC es una alternativa ventajosa al maletín rígido convencional, más segura para tu ordenador y más práctica. Medidas 42 x 28 x 16,5 cm

Entender un texto no significa entender cada una de sus palabras. Entender un texto es obtener la información que contiene y que nos interesa. Para ello nos ayuda el conocimiento del vocabulario y de la gramática. Pero también, y sobre todo, nos ayuda el conocimiento que tenemos sobre la realidad y sobre las formas habituales de los textos.

AUTOEVALUACIÓN

EN GENERAL				
Mi participación en clase				
Mi trabajo en casa				
Mis progresos en español				
Mis dificultades				

Y EN PARTICULAR					
Gramática					
Vocabulario					
Fonética y pronunciación					
Lectura					
Audición					
Escritura					
Cultura					
Expresión oral					

DIARIO PERSONAL

En esta unidad he aprendido (muchas / bastantes / pocas) cosas nuevas. Ha sido interesante la actividad ...., y lo que menos me ha gustado ha sido .... He tenido problemas con .... Creo que ahora puedo hablar del mundo del trabajo (muy bien / bien / regular / con muchos problemas), puedo describir mi profesión o la de otros (muy bien / bien / regular / con muchos problemas). También puedo .... y .... Hay cosas difíciles, como por ejemplo, ... , porque en mi lengua (es / son) (muy / bastante) diferente/s. No entiendo del todo bien .... Tengo que preguntárselo al profesor o pensar sobre el tema.

8 gente que viaja

1. **Primeras palabras.** Vocabulario útil para la unidad.
2. **¿A qué hora?** Tu horario. Las horas.
3. **¿Ya ha comido con monsieur Denner?** Una agenda de trabajo. **Ya/todavía no** + pretérito perfecto. **Ir a** + infinitivo.
4. **Las cosas de Ariadna.** Vocabulario: objetos personales para los viajes. Género de los objetos personales.
5. **¿Ya lo has hecho? Ya/todavía no.**
6. **Peregrinos. Ya, todavía, a punto de, entre...**
7. **El Camino de Santiago.** Completar un texto leído anteriormente.
8. **Está a punto de llegar. Estar a punto de** + infinitivo, **acabar de** + infinitivo.
9. **Antes de viajar...** Acciones relacionadas con los viajes. Secuenciar con antes, durante, después.
10. **La agenda de Renata Yacallé. Ir a** + infinitivo.
11. **El martes que viene.** Marcadores temporales.
12. **¿Abierto o cerrado?** Horarios de establecimientos.
13. **Horarios.** Horarios de trenes.
14. **Tres hoteles.** Elegir un hotel por sus características.
15. **Una agencia de viajes.** Preguntas, recomendaciones y preferencias sobre viajes.
16. **Reserva.** Diálogo para reservar una habitación de hotel.
17. **Notas de un viaje.** Experiencias en un viaje: pretérito perfecto.
18. **Viajes y acentos.** Comprensión auditiva. Distinguir diferentes acentos.
19. **Diferencias culturales.** Posibles diferencias entre dos ejecutivos de diferentes nacionalidades.
    Agenda

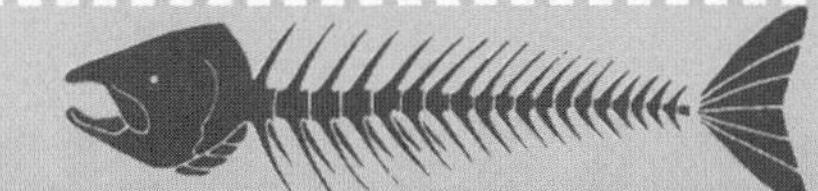

13.30h-16h

1

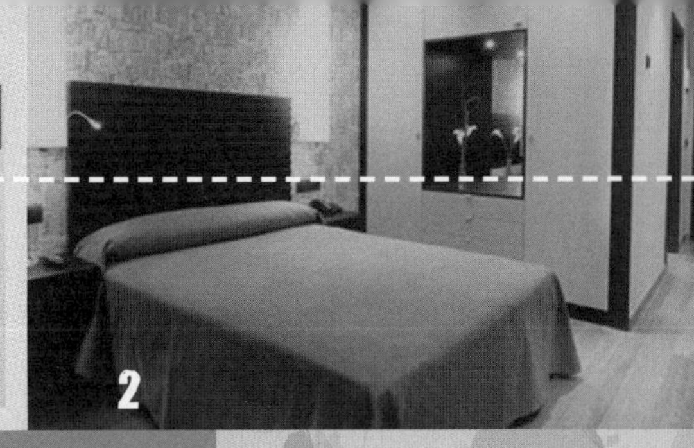

2

3

4

5

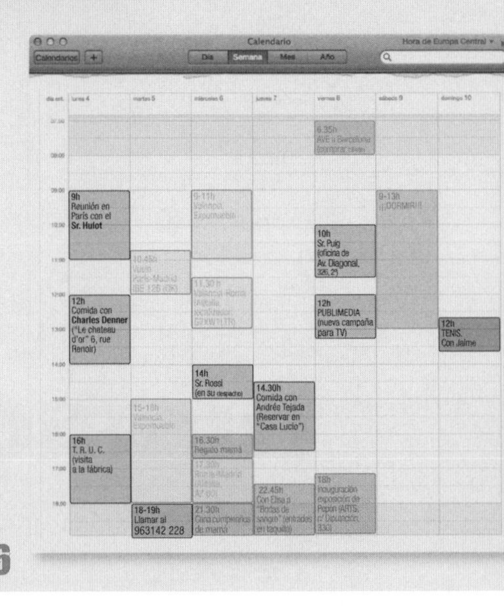

6

❶ Primeras palabras

A. En esta unidad te serán útiles estas palabras. ¿Conoces el significado de algunas? ¿Puedes relacionarlas con las imágenes?

habitación .... aeropuerto .... hotel ....
viaje .... transporte .... horario ....
agenda .... bicicleta .... mapa ....

B. Piensa en otras palabras que crees que te serán útiles para desenvolverte en este tema.

2 ¿A qué hora? LA 1

A. Jesús Vera es un hombre muy metódico. Hace todos los días lo mismo.
¿Puedes ordenar cronológicamente lo que hace?

- ☐ Se acuesta a las once.
- ☐ Empieza a trabajar a las nueve de la mañana.
- 1 Se levanta a las siete y media.
- ☐ Antes de desayunar sale a correr durante 20 minutos.
- ☐ Después de hacer sus ejercicios de alemán, ve las noticias en la tele.
- ☐ A las diez y media se toma un café y un bocadillo en un bar, al lado de la oficina.
- ☐ Antes de acostarse escribe un par de páginas en su diario.
- ☐ Come con un compañero de trabajo a las dos y media.
- ☐ Después de cenar, estudia un rato alemán.
- ☐ Antes de cenar, navega una horita por internet.
- ☐ Cena a las diez.
- ☐ Después de comer, actualiza su estado y responde a sus amigos en una red social.
- ☐ A las ocho y media coge el metro para ir al trabajo.
- ☐ Sale del trabajo a las seis menos cuarto.
- ☐ A las nueve y media llama por teléfono a su madre.
- ☐ Por la tarde sale a pasear con su perro Pancho.

B. Y tú, ¿a qué hora haces estas cosas? Escríbelo con letras.

¿A qué hora te levantas, normalmente? ....

¿Y los días festivos? ....

¿A qué hora desayunas? ¿Antes o después de vestirte? ....

¿A qué hora empiezas a trabajar? ....

¿A qué hora sales del trabajo o de la escuela? ....

¿A qué hora tienes clase de español? ....

¿A qué hora es tu programa preferido de televisión? ....

¿A qué hora abren las farmacias en tu país? ....

¿A qué hora se cena en tu país? ....

¿A qué hora cenas? ....

¿Lees antes de dormir? ¿Hasta qué hora? ....

¿Escuchas la radio? ¿Cuándo? ....

¿Estás en redes sociales? ¿A qué hora te conectas? ....

¿A qué hora te acuestas? ....

C. Habla con tus compañeros e intenta encontrar a alguien que haga cuatro de estas cosas a la misma hora que tú.

3 ¿Ya ha comido con monsieur Denner? LA 1

A. Mira la agenda de Ariadna, en la página 89 del Libro del alumno. Imagina que hoy es jueves y que son las ocho de la mañana. ¿Las siguientes afirmaciones son verdaderas o falsas?

	verdadero	falso
a. **Ya** ha comido con Charles Denner.	☑	☐
b. **Todavía no** ha ido a Valencia.	☐	☐
c. **Todavía no** ha jugado al tenis con Jaime.	☐	☐
d. **Ya** ha estado en París.	☐	☐
e. **Ya** ha ido a la cena de cumpleaños de su madre.	☐	☐
f. **Va a reunirse** con el señor Puig.	☐	☐

B. Observa en el apartado anterior cómo funcionan las formas **ya** y **todavía no** con el pretérito perfecto. ¿Puedes escribir tres cosas más que **ya** ha hecho y otras tres que **todavía no** ha hecho Ariadna esta semana?

....

....

C. Ahora observa en el primer apartado cómo se usa **ir a** + infinitivo para hablar de acciones futuras. ¿Cuándo crees que va a hacer estas cosas?

salir a cenar con unos amigos y tomar algo | ir a cenar con Elisa | estar cuatro horas en su oficina | tomar un tren de vuelta a Madrid para pasar el fin de semana en casa | hacer las compras de la semana | prepararse la maleta para el viaje del lunes | ir a desayunar a su restaurante favorito

Va a salir a cenar con unos amigos y a tomar algo el sábado por la noche.

4 Las cosas de Ariadna LA 2

A. Observa con atención los objetos de Ariadna Anguera, en la página 89 del Libro del alumno. Después cierra el libro y señala cuáles de estas cosas has visto allí.

- ☐ ..... neceser
- ☐ ..... mapa de carreteras
- ☐ ..... tableta
- ☐ ..... dinero en efectivo
- ☐ ..... informe del trabajo
- ☐ ..... tarjetas de crédito
- ☐ ..... llaves de casa
- ☐ ..... DNI
- ☐ ..... novela
- ☐ ..... pasaporte
- ☐ ..... teléfono móvil
- ☐ ..... billetes de tren
- ☐ ..... llavero
- ☐ ..... ordenador portátil
- ☐ ..... cámara fotográfica
- ☐ ..... calendario
- ☐ ..... gafas
- ☐ ..... tarjetas de visita
- ☐ ..... gafas de sol

B. Ahora, escribe delante de cada palabra el artículo determinado (**el**, **la**, **los**, **las**).

C. En la lista de cosas, ¿falta alguna cosa sin la que tú no sueles viajar? ¿Y tús compañeros? Comentadlo.

5 ¿Ya lo has hecho? LA 3

A. Completa esta lista con otras cosas interesantes relacionadas con los viajes y el turismo. Después señala, como en el modelo, cuáles has hecho ya y cuáles todavía no.

Visitar la Gran muralla china ⟶ *Todavía no la he visitado.*
Subir a la torre Eiffel ⟶
Contemplar las cataratas de Niágara ⟶
Hacerse una foto sosteniendo la torre inclinada de Pisa ⟶
Bañarse en el mar Muerto ⟶
Pasar el Año Nuevo en Times Squire. ⟶
Viajar en un tren bala japonés. ⟶
Navegar por el río Nilo. ⟶
Ver en el cielo las luces de la aurora boreal. ⟶
Pasear por las ruinas de la ciudad de Petra. ⟶
.... ⟶
.... ⟶
.... ⟶

B. Pregunta a tus compañeros de clase si han hecho ya las cosas de tu lista. El estudiante que consiga más respuestas positivas de otros compañeros en menos tiempo gana.

- ● *¿Ya has navegado por el río Nilo?*
- ○ *Sí, ya lo he hecho.*
- ■ *No, todavía no.*

Yuri ya ha navegado por el río Nilo.

6 Peregrinos LA 3

Si has resuelto bien el ejercicio 3.A de la página 90 del Libro del alumno, podrás responder a estas preguntas que vas a escuchar.

46

NOMBRE DEL PEREGRINO

1. ....
2. ....
3. ....
4. ....
5. ....
6. ....
7. ....
8. ....
9. ....

7 El Camino de Santiago LA 3

Este texto ya lo has leído en el Libro del alumno. Escribe ahora las palabras que faltan.

EL CAMINO DE SANTIAGO

Desde la Edad Media .... hoy, miles de peregrinos cruzan los Pirineos y viajan .... el oeste, hasta la tumba del Apóstol Santiago, en la .... de Santiago de Compostela. Los peregrinos van a ...., a caballo o en bicicleta; por motivos religiosos, turísticos o .... Algunos viajan solos y ...., en grupo, con .... o con la familia. De Roncesvalles a Compostela encuentran iglesias románicas, ... góticas, pueblos pintorescos, paisajes .... variados... Y cada pocos kilómetros, una posada, un lugar donde se puede .... por muy poco dinero, normalmente con camas y duchas.

8 Está a punto de llegar LA 3

Observa cómo funcionan las estructuras **estar a punto de** y **acabar de**. Después completa las conversaciones.

- ¿El tren de las 8.05 para Madrid, por favor?
  - En la vía 4. Está a punto de salir. *(son las 8.03)*
  - Acaba de salir. El siguiente es a las 8.43. *(son las 8.07)*

a.
- ¿Ha llegado ya la Sra. Anguera para la reunión?
  - Está en la sala de espera. .... de llegar.

b.
- ¿Cuál es la puerta de embarque para el vuelo AZ 60 a Roma?
  - La puerta B32, pero .... de cerrar. Tiene que darse prisa.

c.
- PUBLIMEDIA, ¿dígame?
  - Soy la Sra. Anguera. Tengo una reunión con el Sr. Pérez a las 12. ¿Puede decirle que estoy de camino en un taxi. .... de llegar.

d.
- Restaurante "Casa Lucio", ¿dígame?
  - Quiero reservar una mesa para dos a las 14.30 h.
- Lo siento, ... de reservar la última.

9 Antes de viajar... LA 3

¿Qué cosas haces normalmente **antes, durante** y **después** de un viaje? Ordénalas. Puedes añadir otras cosas.

- comprar los billetes
- clasificar las fotos
- planchar ropa
- hacer fotos
- deshacer la maleta
- planificar el tiempo
- comprar regalos
- hacer la maleta
- alquilar un coche
- cambiar dinero
- escribir postales
- ....
- ....
- ....
- ....
- ....

ANTES

DURANTE

DESPUÉS

La agenda de Renata Yacallé LA 6

Renata Yacallé es una cantante soprano que tiene una agenda muy apretada. Su secretaria está enferma y Renata no entiende bien sus notas. ¿Puedes ayudarla? Escribe tú ahora dónde crees que va a cantar y en qué fecha.

Par. 13 y 25 jul., Mil. Mar-30-sep., Sid. 1 y 2 sep., Barc. 15-20 jul., Rom. V-2-oct., L.A. 22-ag.

Va a cantar en Nueva York el jueves veinticinco de agosto.

El martes que viene LA 6

A. Ordena estos marcadores de tiempo (a partir de hoy).

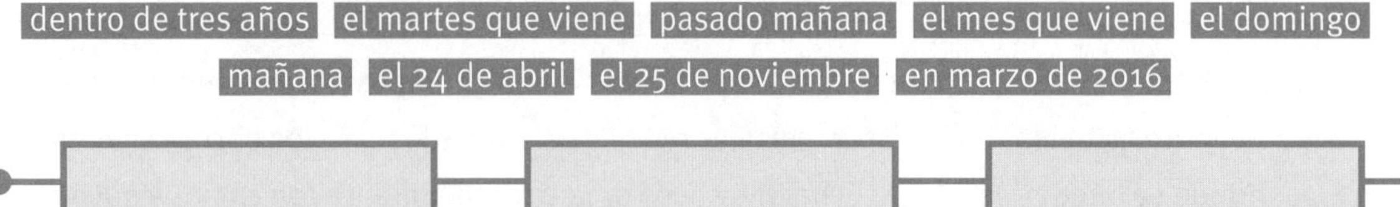

B. Haz una lista con algunas fechas importantes en tu vida (de la vida personal, del trabajo, de los estudios...) durante los próximos meses y años. Después escribe frases usando alguno de los marcadores del apartado anterior.

Mi cumpleaños es dentro de dos semanas.
El mes que viene voy a irme de vacaciones a Marruecos.

¿Abierto o cerrado? 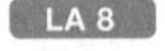

A. ¿Sabes a qué tipo de establecimiento pertenecen estas tarjetas? Discútelo con un compañero.

Restaurante **La Gaviota**

ESPECIALIDADES MARINERAS

13 h-17 h y 20.30 h-24 h
(lunes noche y martes descanso semanal)

47-49

B. Ahora fíjate en los horarios de los establecimientos. Escucha las conversaciones y marca si los van a encontrar abiertos en el momento en el que hablan.

a. ¿Van a encontrar abierto La Gaviota?
☐ Sí
☐ No

b. ¿Van a encontrar abierto El Corte Fiel?
☐ Sí
☐ No

c. ¿Van a encontrar abierto Mikis?
☐ Sí
☐ No

13 Horarios LA 9

A. Lee con atención la tabla de horarios de los trenes de Madrid a Segovia y marca la opción correcta.

1. En la segunda columna encuentras:
☐ los horarios de salida
☐ los horarios de llegada

2. Los trenes con asterisco no circulan todos los días.
☐ verdadero
☐ falso

3. El día 1 de mayo solo circulan dos trenes.
☐ verdadero
☐ falso

Madrid	Segovia	Observaciones
5.45	7.42	*Laborables, excepto sábados. No circula: 1/1, 1/5 y 25/12
6.17*	8.13	
10.17	12.05	
14.17	16.06	**Diario, excepto domingos.
16.23*	18.01	
20.17**	22.10	

50

B. Llamas al servicio de información de RENFE (Red Nacional de Ferrocarriles Españoles) para confirmar que la información de la tabla está actualizada. Escucha la grabación y comprueba los datos. ¿Hay algún cambio?

14 Tres hoteles LA 10

Mira estos anuncios de hoteles. ¿Cuál de los tres hoteles eliges si quieres hacer estas cosas?

- Si quieres un hotel muy lujoso, ...el Miraflores...... .
- Si te gusta mucho hacer deporte durante tus viajes, ...
- Si quieres ver el mar, ...
- Si quieres salir por la noche, ...
- Si no quieres gastar mucho, ...
- Si te interesa mucho la cocina, ...
- Si te gusta nadar, ...
- Si no quieres estar en el centro, ...
- Si quieres una habitación muy grande, ...
- Si es un viaje de trabajo, en avión, y vas a trabajar en una feria, ...
- Si no quieres pasar calor, ...

HOSTAL JUANITO

PRECIOS ECONÓMICOS.

HABITACIONES CON LAVABO.

EN EL CASCO ANTIGUO DE LA CIUDAD, EN EL BARRIO CON MÁS AMBIENTE.

HOTEL NENÚFARES

A CINCO MINUTOS DEL AEROPUERTO Y JUNTO AL RECINTO FERIAL. CAMPO DE GOLF Y TENIS. TODOS LOS SERVICIOS PARA UN VIAJE DE NEGOCIOS.
MUY BIEN COMUNICADO (TREN Y AUTOBUSES).
TRES RESTAURANTES: COCINA INTERNACIONAL, COCINA TÍPICA REGIONAL Y BARBACOA EN NUESTRA TERRAZA.

HOTEL MIRAFLORES

- SOLARIUM Y PISCINA.
- HIDROMASAJE.
- SITUADO EN EL CENTRO DE LA CIUDAD Y AL LADO DE LA PLAYA.
- EL HOTEL DE LUJO IDEAL PARA VACACIONES O NEGOCIOS.
- 100 HABITACIONES Y 10 SUITES CON VISTAS.
- AIRE ACONDICIONADO EN TODAS LAS HABITACIONES.

15 Una agencia de viajes LA 10

A. Estas son las ofertas de una agencia de viajes para el mes de noviembre. ¿Cuál te gusta más? ¿Por qué?

DESTINO	VIAJE	DURACIÓN	SALIDA	TRANSPORTE	PRECIO	ALOJAMIENTO
FILIPINAS FASCINANTE	Cultura, Mar y playa	14 días	12 y 19/XI	avión y autocar	1740 euros	hoteles ****
NEPAL	Aventura, Trekking	17 días	13/XI	avión y coche	1870 euros	hoteles * y tienda
PARÍS MONUMENTAL Y DISNEYLAND	Fotografía, Cultura	6 días	2 y 6/XI	avión y autocar	480 euros	hoteles **
KENIA MINISAFARI	Fotografía, Naturaleza	8 días	todos los miércoles	avión y 4x4	1570 euros	hoteles ****
GUATEMALA	Naturaleza, Aventura	16 días	5, 19 y 26/XI	avión y 4x4	2160 euros	tiendas y bungalows
CUBA	Buceo, Mar y playa	15 días	diario	avión y barco	950 euros	hoteles *** y bungalows

Fotografía · Cultura · Mar y playa · Buceo · Aventura · Naturaleza · Trekking

El viaje que más me gusta es el de... porque...

B. Cuatro personas hablan de sus necesidades y sus preferencias para las vacaciones. ¿Qué viaje le aconsejas a cada uno? Hay varias posibilidades. Razónalo.

Foro viajar

17:33 — Preferencias de vacaciones

JUAN RODRÍGUEZ PALACIOS
Mi mujer y yo empezamos las vacaciones el 4 de noviembre y tenemos 18 días. Y este año queremos salir de Europa: África o América Latina... Nos interesa mucho la historia y la cultura. También nos encanta hacer excursiones, acampar y el contacto con la naturaleza.

Foro viajar

06:53 — Preferencias de vacaciones

MARÍA ZARAUZ BENITO
Somos tres chicas, compañeras de trabajo. Queremos unas vacaciones tranquilas. Descansar en un buen hotel, hacer algo de deporte, quizá... Queremos buen tiempo y playa. Y no queremos gastar más de 1050 euros por persona.

Foro viajar

19:52 — Preferencias de vacaciones

ÁNGEL TOLOSA DÍAZ
Viajamos dos parejas y tres niños. Y, claro, hay que encontrar un viaje para todos. Algo para los niños y algo para los mayores. Queremos estar una semana, más o menos, la primera semana de noviembre.

Foro viajar

22:14 — Preferencias de vacaciones

BERTA IBÁÑEZ SANTOS
Somos un grupo de amigos y queremos viajar unas dos semanas. Empezamos las vacaciones el día 9 de noviembre. Nos gustaría ir a un sitio diferente, especial, pero estar en hoteles buenos, cómodos. Somos todos mayores y no queremos mucha aventura, ¿sabe usted?

Yo le recomiendo a... el viaje a... porque...

 Reserva LA 10

A. Una persona llama a este hotel para reservar una habitación. Aquí tienes la parte de la conversación correspondiente al recepcionista. ¿Puedes imaginarte lo que dice el cliente? Escribe sus frases.

- ● CLIENTE (C): ....
- ○ RECEPCIONISTA (R): Sí, para ese día hay alguna libre.
- ● C: ....
- ○ R: 75 euros la doble y 67 la individual.
- ● C: ....
- ○ R: Sí, sí, todas son con baño.
- ● C: ....
- ○ R: ¿Para cuántos días?
- ● C: ....
- ○ R: Muy bien, del lunes 10 al jueves 13. ¿A qué hora van a llegar?
- ● C: ....
- ○ R: ¿De la mañana?
- ● C: ....
- ○ R: De acuerdo, no hay ningún problema.

51

B. Ahora escucha la conversación y completa las frases del apartado anterior.

HOTEL UNIVERSIDAD 

- A UN PASO DE LA CIUDAD UNIVERSITARIA Y DE LOS CENTROS DE NEGOCIOS.
- A 10 MINUTOS DEL PASEO DE LA CASTELLANA.
- 120 HABITACIONES CON AIRE ACONDICIONADO.
- TRANQUILO Y BIEN COMUNICADO.
- SAUNA Y FITNESS.

C. En parejas, podéis simular conversaciones similares. Cada uno se prepara la información que necesita.

Notas de un viaje LA 10

Anne y Michael son dos turistas alemanes que han hecho un viaje por España. Al volver a Fráncfort, Anne mira las notas que ha ido tomando en su diario. ¿Puedes decir algunas cosas que han hecho o que les han pasado?

Han ido de Fráncfort a Sevilla en avión.

Hotel en Málaga:
LA LECHUZA.
Tapas buenísimas en la Malagueta.

Comida en Almería.
Restaurante El cangrejo verde.
TAPAS MUY RICAS.

Avión Francfort - Sevilla - Francfort.
¡RETRASO!

Tren:
Sevilla - Córdoba.
VISITA A CÓRDOBA.
Paseo con guía.

Autobús
Córdoba - Sevilla.

Gentecar, agencia de alquiler de coches de Córdoba.
SEAT IBIZA.

Avería entre Almería y Jaén (Guadix).
Noche en Guadix.
PINCHAZO EN MONTILLA.

Viajes y acentos

52-53

A. Dos personas nos hablan de unas vacaciones tranquilas. Escucha lo que dicen y completa la tabla.

	MARIELA AGÜERO (ARGENTINA)	MARÍA ELENA BARCELÓ (CUBA)
¿Mar o montaña?		
Actividades en la naturaleza		
Actividades con la gente		

B. Vuelve a escuchar las grabaciones y observa.

– la pronunciación de las formas del verbo **hacer** y de la palabra **vacaciones**.
– la pronunciación de la palabra **playa**.

Los argentinos pronuncian la elle y la i griega de una forma muy curiosa, casi como la ge francesa o inglesa (como en "George").

Los cubanos no pronuncian las eses a final de sílaba y generalmente hacen las jotas y las ges con aspiración, con un sonido parecido al de la hache en inglés.

En general, los latinoamericanos no pronuncian el sonido que la ce/zeta tienen en España: lo pronuncian todo ese.

Diferencias culturales LA 12

Lee el texto de la página 96 del Libro del alumno. Imagina que Wais es un ejecutivo de tu país. ¿Crees que hay alguna pequeña diferencia en la manera de relacionarse en el trabajo entre las dos culturas? ¿Cuál?

ASÍ PUEDES APRENDER MEJOR

20 Planificar e improvisar

Cuando hablas con otra persona, tú decides qué vas a decir y cómo vas a decirlo pero, al mismo tiempo, tienes que tener en cuenta lo que dice tu interlocutor. Vais a trabajar en parejas A y B: imaginad que estáis en una agencia de viajes. Antes de hablar, debéis preparar vuestras intervenciones.

A: CLIENTE

Has visto este anuncio en el periódico y vas a la agencia de viajes para informarte bien. Antes, decide qué fechas quieres ir y cuánto quieres gastarte en total.
Fechas en las que quieres ir: ....
Dinero que quieres gastarte: ....
¿Vas a ir solo o acompañado? ....

B: EMPLEADO/A

Trabajas en la Agencia Marisol y ofreces los viajes a Ibiza del anuncio durante todo el año. Un cliente va a venir a preguntar por los viajes. Pero antes tienes que decidir:
¿Qué días de la semana hay vuelos desde la ciudad donde estáis?
....
¿Hay fechas en que está todo completo?
....
¿Cuánto cuestan? ....
¿Cuánto cuesta cada tipo de hotel por persona y noche?
....
¿Hay ofertas para niños, grupos, etc.?
....

En actividades como esta, tú decides qué y cómo lo vas a decir pero, al mismo tiempo, tienes que tener en cuenta lo que dice tu compañero. ¿No crees que es una buena forma de reproducir las condiciones de la comunicación real?

AUTOEVALUACIÓN

EN GENERAL				
Mi participación en clase				
Mi trabajo en casa				
Mis progresos en español				
Mis dificultades				

Y EN PARTICULAR					
Gramática					
Vocabulario					
Fonética y pronunciación					
Lectura					
Audición					
Escritura					
Cultura					
Expresión oral					

DIARIO PERSONAL

La unidad GENTE QUE VIAJA contiene mucha información sobre aspectos culturales.

Me ha interesado especialmente saber que ....

.... , y también me han gustado los textos sobre ....

....

Con respecto a estas cosas, yo pienso ....

....

Me ha parecido muy útil aprender a .... Creo que necesito trabajar un poco más sobre ....

9 gente de ciudad

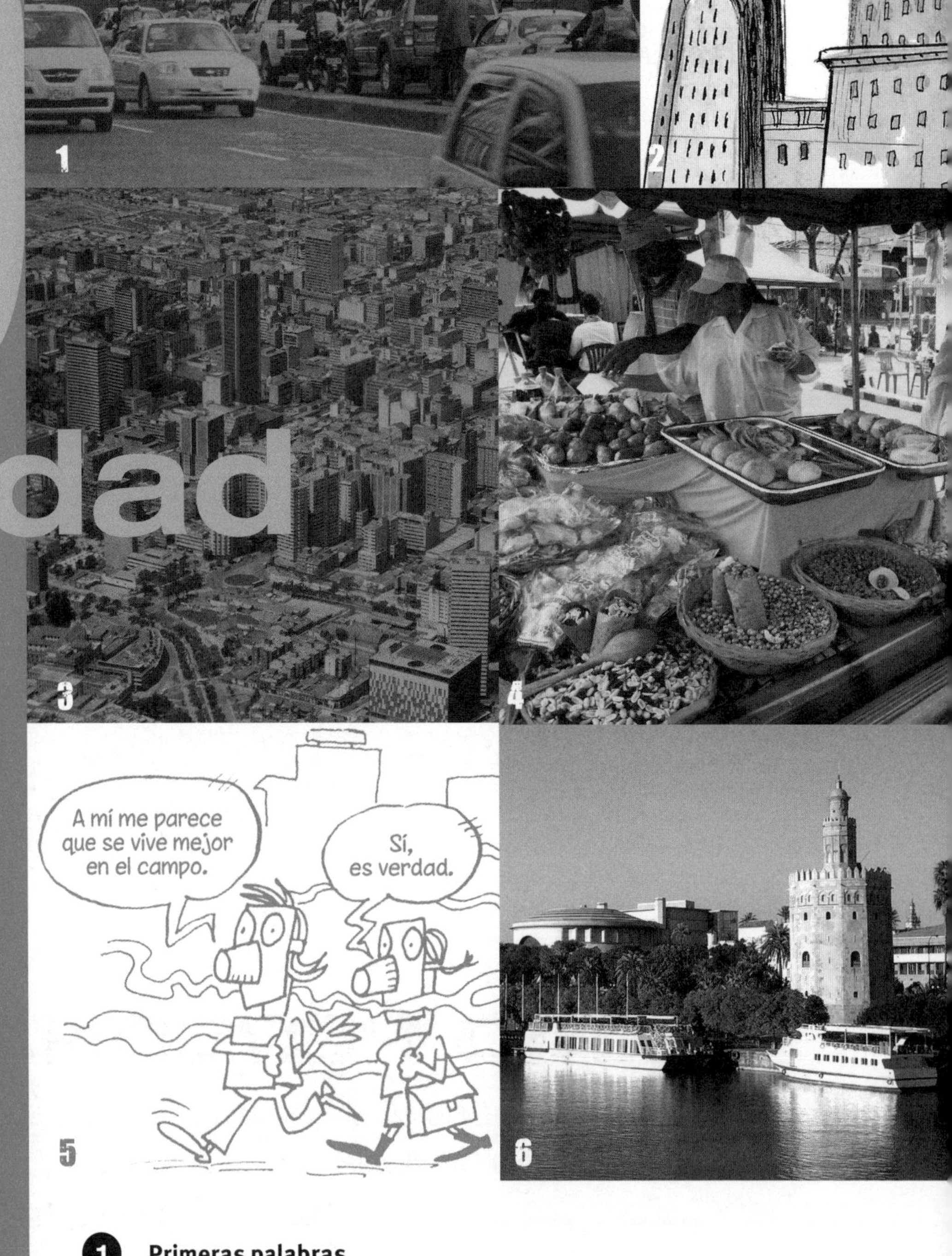

1. **Primeras palabras.** Vocabulario útil para la unidad.
2. **Cosas de la ciudad.** Vocabulario de la ciudad.
3. **¿Qué hay?** Tu ciudad: **hay/no hay**, vocabulario.
4. **Ventajas e inconvenientes de mi ciudad.** Cuantificadores. Argumentos a favor y en contra.
5. **¿Qué es para ti lo más...? Lo más..., lo mejor, lo peor...**
6. **Una ciudad para estudiar.** Descripción de una ciudad.
7. **Una visita.** La región donde vives: lugares de interés.
8. **Dos hoteles.** Comparar dos hoteles: **más... que, tanto... como, el más...**
9. **¿Es muy diferente?** Comparar España y tu país.
10. **Millones de habitantes.** Los países más poblados: número de habitantes.
11. **Antes y ahora.** Comparar el presente con el pasado. Los comparativos.
12. **Un lugar en el que...** Definir lugares. Conjunciones relativas: **donde, en el/la que...**
13. **Me gustaría...** Cosas que te gustaría hacer. La construcción **me gustaría** + infinitivo.
14. **Nada es verdad ni es mentira...** Argumentar.
15. **¿Qué dice?** Vocabulario relacionado con la ciudad.
16. **Vocales.** Fenómenos fonéticos: la sinalefa.
17. **Tres ciudades de Latinoamérica.** Conocimientos sobre tres ciudades.
18. **¿Qué es una ciudad?** Texto poético. Descripción de una ciudad.

Agenda

1 Primeras palabras

A. Estas son algunas palabras útiles para esta unidad. ¿Conoces el significado de alguna? ¿Las puedes relacionar con las imágenes?

río .... habitantes .... transporte .... zona verde ....
atascos .... mercado .... pueblo .... calidad de vida ....
área metropolitana .... contaminación .... edificio ....

B. Fíjate de nuevo en las imágenes y en el título de la unidad. ¿Qué otras palabras pueden ser útiles para esta unidad?

2 Cosas de la ciudad LA 2

A. Coloca en este plano las palabras de la lista.

parque | río | fábrica | línea de autobús | centro (de la ciudad) | centro comercial | puente | estadio | catedral

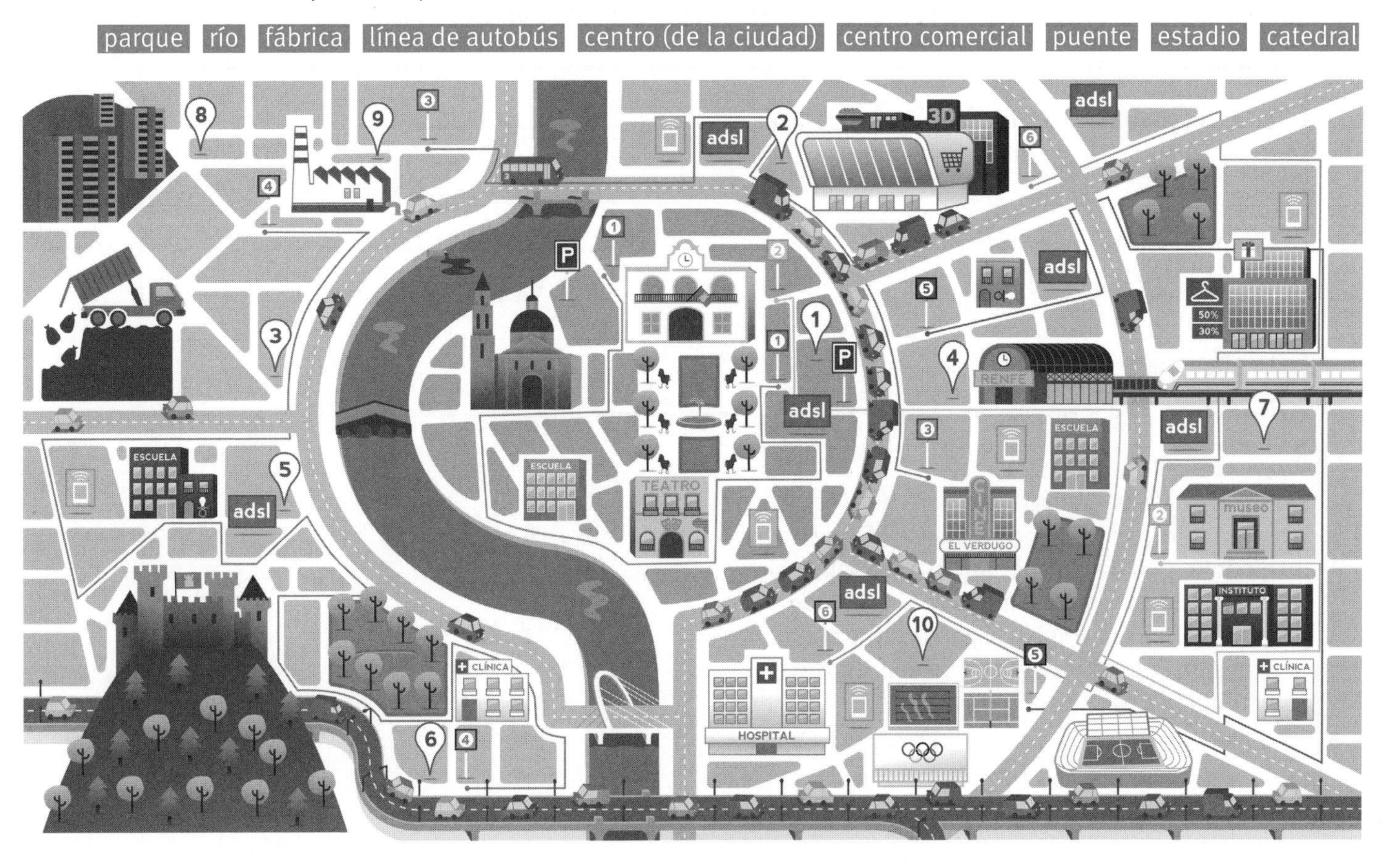

B. Seguro que conoces otras palabras. ¿Cuántas cosas de la imagen puedes nombrar?

3 ¿Qué hay? LA 2

Piensa en tu ciudad o en otra que conozcas bien. ¿Hay en ella estas cosas? Escribe frases como las de los ejemplos.

tráfico | turistas | colegios | parados | industria pesquera | carril bici | delincuencia | fábricas | rascacielos | problemas sociales | zonas verdes | contaminación | guarderías | iglesias | vida nocturna | atascos | hospitales | monumentos | mezquitas | centros comerciales | instalaciones deportivas | consumo de drogas | playas | cines | viviendas desocupadas | vida cultural | edificios antiguos | museos | gente de origen español o latinoamericano

Hay muchos parques. No hay mucha vida nocturna. No hay museos.

4 Ventajas e inconvenientes de mi ciudad LA 2

Haz una lista de las principales ventajas e inconvenientes de la población en la que vives.

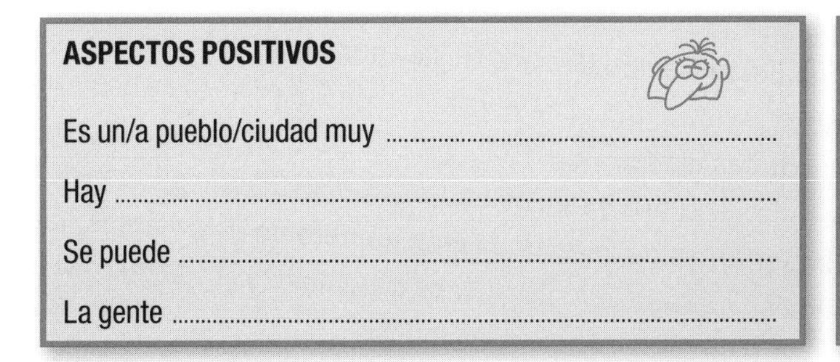

ASPECTOS POSITIVOS

Es un/a pueblo/ciudad muy ....

Hay ....

Se puede ....

La gente ....

ASPECTOS NEGATIVOS

En .... hay demasiado/a/os/as ....

y demasiado/a/os/as ....

Por otra parte, no hay suficiente/s ....

ni .... La gente es un poco ....

5 ¿Qué es para ti lo más...? LA 2

A. A veces es necesario destacar la principal cualidad o característica de un lugar, de una persona o de una actividad. ¿Puedes hacer tú eso mismo sobre el lugar donde vives? Completa estas frases.

Lo más interesante del lugar donde vivo es/son ....

Y **lo menos interesante** es/son ....

Lo que funciona mejor es/son ....

Y **lo que funciona peor** es/son ....

Lo mejor para conocer el lugar donde vivo es ....

B. Observa las palabras destacadas en el apartado anterior. ¿Entiendes cómo funcionan? Siguiendo el modelo, crea un cuestionario sobre algún tema que creas que es interesante (un país, la salud, la amistad, las relaciones de pareja, aprender lenguas...). Puedes trabajar en parejas y pasar el cuestionario a otros estudiantes.

TEMA:

PREGUNTAS:

6 Una ciudad para estudiar LA3

A. Aquí tienes un texto sobre una ciudad española. Faltan algunas palabras, pero seguro que puedes entender bastante. ¿Puedes imaginar qué palabras faltan?

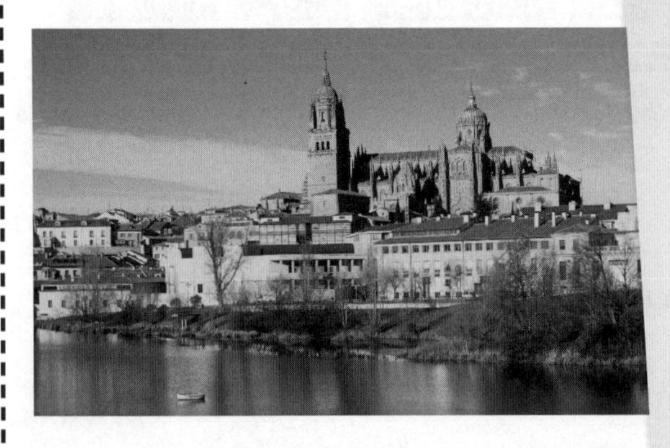

Salamanca

Con sus 152 000 ...., Salamanca es una ciudad española de .... Está .... a unos 200 km al oeste de Madrid y .... al este de la frontera portuguesa. El Puente Romano, las dos ...., la ...., la universidad y cantidad de ...., conventos, ... y edificaciones antiguas hacen de Salamanca uno de los conjuntos monumentales de .... y belleza de España.

La .... ha aumentado en los últimos años: existen industrias de ...., textiles, mecánicas y metalúrgicas. Pero la importancia de Salamanca reside principalmente en su carácter de .... La Universidad de Salamanca es una de las universidades más .... de Europa junto con las de Bolonia y París y sigue siendo, ..., una de las más importantes de España. El gran número de estudiantes, tanto españoles ...., le da a la ciudad su carácter especial: una .... intensa y mucho ...., a todas horas. .... es continental con .... y veranos calurosos.

54

B. Ahora vas a escuchar una versión leída del texto. Comprueba tus hipótesis y completa.

7 Una visita LA 3

Un amigo te ha mandado este correo. Escribe tú uno de respuesta.

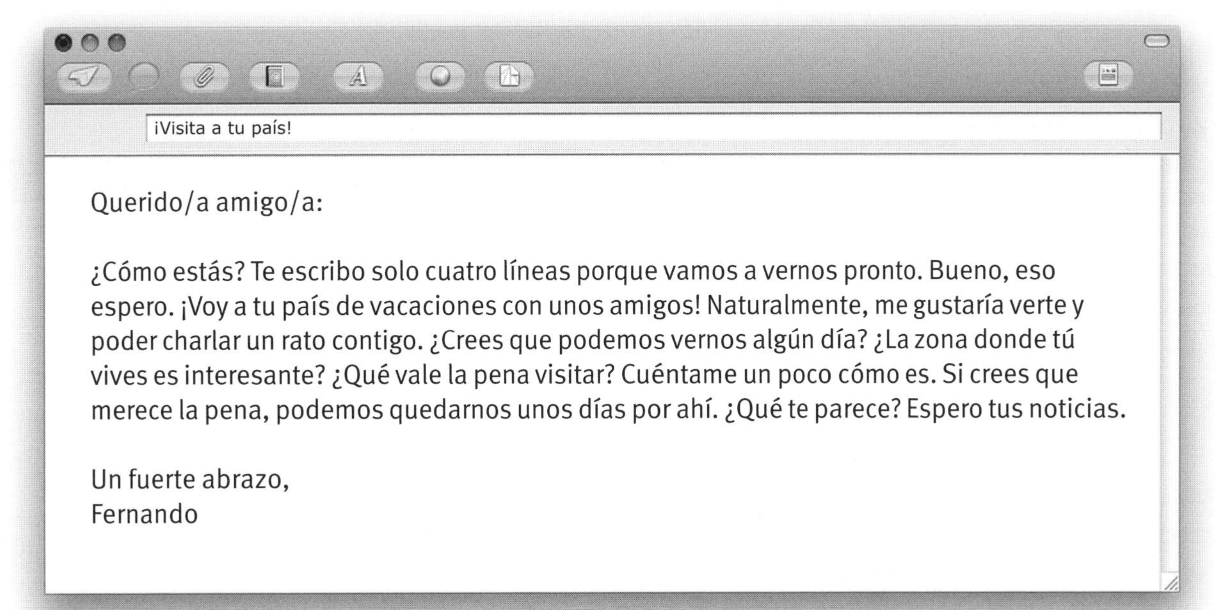

¡Visita a tu país!

Querido/a amigo/a:

¿Cómo estás? Te escribo solo cuatro líneas porque vamos a vernos pronto. Bueno, eso espero. ¡Voy a tu país de vacaciones con unos amigos! Naturalmente, me gustaría verte y poder charlar un rato contigo. ¿Crees que podemos vernos algún día? ¿La zona donde tú vives es interesante? ¿Qué vale la pena visitar? Cuéntame un poco cómo es. Si crees que merece la pena, podemos quedarnos unos días por ahí. ¿Qué te parece? Espero tus noticias.

Un fuerte abrazo,
Fernando

8 Dos hoteles LA 4

Formula diez frases comparando estos dos hoteles. Utiliza **más... que**, **tanto/a/os/as... como**, **el más...** u otros recursos para comparar.

HOTEL BENIDORM

- 54 HABITACIONES DOBLES
- 52 EUROS/NOCHE
- 3 PISCINAS
- DISCOTECA
- *JACUZZI* Y *FITNESS*
- AIRE ACONDICIONADO EN TODAS LAS HABITACIONES
- A 20 KM DE ALICANTE
- PARKING PARA 30 COCHES
- A 200 M DE LA PLAYA PARQUE INFANTIL

HOTEL MIRASOL

- 106 HABITACIONES DOBLES
- 86 EUROS/NOCHE
- 2 PISCINAS
- BAR MUSICAL
- RESTAURANTES Y TERRAZA EN LA PLAYA
- AIRE ACONDICIONADO EN TODAS LAS HABITACIONES
- A 26 KM DE ALICANTE
- PARKING PARA 50 COCHES
- A 500 M DE LA PLAYA
- HIDROTERAPIA

El hotel Mirasol tiene más habitaciones que el hotel Benidorm.

9 ¿Es muy diferente? LA 4

Ya sabes muchas cosas sobre España. Haz comparaciones con tu país respecto a estos temas.

el tamaño | la comida | la contaminación | el clima | los monumentos | la calidad de vida | el interés turístico | la economía | el carácter de la gente

España es más grande que Italia pero tiene menos habitantes.

Millones de habitantes LA 4

A. Con la ayuda de los siguientes datos, escribe en la tabla los nombres de los países.

- Nigeria tiene ciento setenta millones de habitantes.
- México tiene más habitantes que Alemania.
- Nigeria tiene nueve millones menos que Bangladesh.
- China es el país más poblado del mundo.
- Brasil tiene ciento noventa y seis millones.
- Rusia tiene cincuenta y dos millones de habitantes menos que Brasil.
- EE. UU. es el tercer país más poblado.
- La India es el segundo país más poblado del mundo.
- Indonesia tiene sesenta y nueve millones de habitantes menos que EE. UU.
- Pakistán tiene doscientos un millones de habitantes.
- Japón tiene setenta y cuatro millones menos de habitantes que Pakistán.
- México tiene ciento doce millones.

PAÍS	HABITANTES (en millones)	EN CIFRAS
1.	mil trescientos cuarenta y cuatro	1 344 000 000
2.	mil doscientos cuarenta y uno	....
3.	....	311 000 000
4.	doscientos cuarenta y dos	....
5.	doscientos uno	....
6.	ciento noventa y seis	....
7.	ciento setenta	....
8.	....	161 000 000
9.	ciento cuarenta y cuatro	....
10.	....	127 000 000
11.	ciento doce	....
12.	ochenta y uno	....

B. Ahora escribe las cantidades que faltan en cifras y en letras.

Antes y ahora LA 4

A. Piensa en una ciudad que conoces bien y que ha cambiado mucho con los años. Después, describe cómo es ahora en comparación con el pasado usando **más/menos** y **no tanto/a/os/as**.

Ahora hay más coches que antes.
Ya no ves tantos caballos como antes.

B. Puedes buscar fotos en internet y contárselo a tus compañeros.

12 Un lugar en el que... LA 5

A. Lee estas definiciones y observa cómo funciona los conectores **en el/la/los/las que** y **donde**. ¿Puedes escribir tú el resto de definiciones?

puerto ——> lugar **en el que** / **donde** hay barcos
parque ——> parte de la ciudad **en la que** / **donde** hay muchos árboles y bancos...

playa: ....
zona industrial: ....
zona universitaria: ....
vertedero: ....
hotel: ....
iglesia: ....
cine: ....
discoteca: ....
centro comercial: ....
capital: ....
guardería: ....
hospital: ....
piscina: ....
zona peatonal: ....
gimnasio: ....
ayuntamiento: ....
museo: ....
centro de la ciudad: ....

B. Ahora piensa otras dos palabras relacionadas con la unidad y defínelas. Lee tus definiciones a tus compañeros. Ellos tienen que adivinar de qué lugar se trata.

13 Me gustaría... LA 6

¿Cuáles de estas cosas te gustaría hacer? Señálalas con una cruz y luego explica por qué.

Ir a Marte.		
Viajar al pasado.		
Ser invisible.		
Adivinar el futuro.		
Cambiar de trabajo.		
Cenar con Brad Pitt.		
Tener mucho dinero.	✓	A mí me gustaría tener mucho dinero para viajar por todo el mundo.
Vivir en una isla desierta.		
Salir en la tele.		

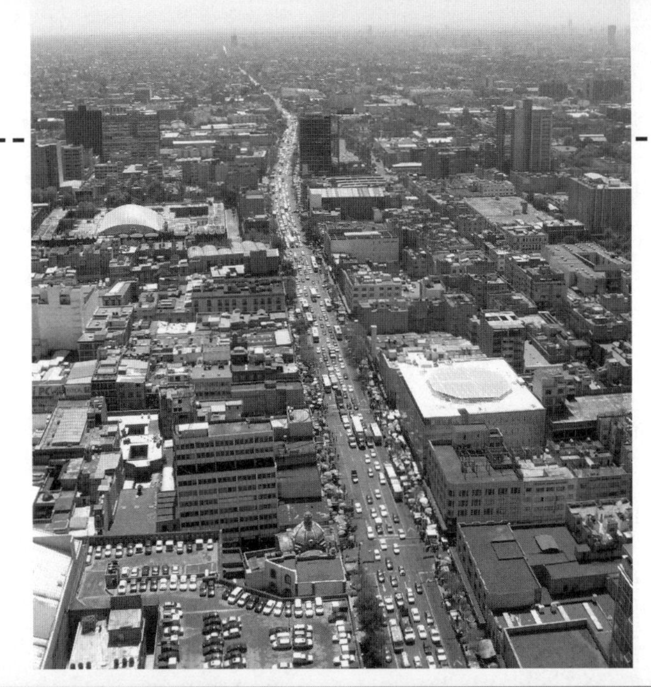

14 Nada es verdad ni es mentira... LA 7

A. Casi todas las siguientes afirmaciones se pueden aplicar tanto a la vida en la ciudad como a la vida en el campo. ¿Cuáles crees que no valen para ambas? ¿Por qué?

- la vida es más dura
- la vida es más cara
- se come mejor
- hay problemas de transporte
- la gente es más cerrada
- necesitas el coche para todo
- tienes menos oferta cultural
- tienes más calidad de vida
- te aburres
- vives de una forma más sana
- te sientes solo
- tienes más relación con los vecinos
- tienes menos intimidad

B. ¿Ciudad o campo? Escoge tres argumentos y defiéndelos frente a otros compañeros. Intenta sorprender a los demás.

15 ¿Qué dice? LA 8

A. Vas a oír a varias personas que hablan de su ciudad. A cada frase le falta la última palabra. ¿Puedes imaginarte cuáles son las palabras que faltan?

B. Estas son las palabras que faltan en la grabación. ¿Las entiendes todas? Vuelve a escuchar y escribe el número de la frase a la que corresponde cada una.

☐ guardería
☐ la vivienda
☐ habitantes
☐ muy tranquila
☐ aparcamiento
☐ cines
☐ los más jóvenes
☐ una piscina
☐ calor
☐ discriminados
☐ fábricas
☐ ruido

16 Vocales

Fíjate bien en cómo pronuncia el locutor las vocales en estas frases. ¿Cómo lo hace?

☐ laescuela
☐ la/escuela

☐ estállí
☐ está/allí

☐ sehainstalado
☐ se/ha/instalado

☐ elcascoantiguo
☐ el/casco/antiguo

Tres ciudades de Latinoamérica

A. Mira estas fotos. Son de tres ciudades latinoamericanas: Oaxaca (México), Buenos Aires (Argentina) y Baracoa (Cuba). ¿Cómo crees que son? ¿Con qué elementos de esta lista asocias cada una de ellas?

- mar Caribe
- ciudad misteriosa
- playa
- actividad cultural
- isla
- ciudad colonial
- todo tipo de espectáculos
- ciudad que no duerme
- salas de teatro y cines
- enclave arqueológico

OAXACA

BARACOA

57-59

B. Ahora escucha a tres personas que hablan de estas ciudades. Comprueba si tenías razón. ¿Es lo que tú habías dicho?

C. Cuéntales a tus compañeros las características de tu ciudad o de tu lugar de origen.

¿Qué es una ciudad?

A. ¿Qué es para ti una ciudad? Lee el siguiente texto y comprueba si coincide con tu impresión. ¿Crees que sirve para describir todas las ciudades?

¿QUÉ ES UNA CIUDAD?

Calles, plazas, avenidas, paseos y callejones. (Y personas). Luces, anuncios, semáforos, sirenas. (Y personas). Mercados, supermercados, hipermercados. (Y personas). Coches, motos, camiones, bicicletas. Música, cláxones, y voces. (De personas). Perros, gatos y canarios. (Y personas). Policías, maestros, enfermeras, funcionarios, empresarios, vendedores, mecánicos, curas y obreros. (Y personas). Teléfonos, antenas, mensajeros. (Y personas). Periódicos, carteles, neones. Teatros, cines, cabarets. Restaurantes, discotecas, bares, tabernas y chiringuitos. (Y personas). Ventanas, puertas, portales. Entradas y salidas. (Y personas). Ruidos, humos, olores. Hospitales, monumentos, iglesias. Historias, noticias y cuentos. Mendigos, ejecutivos, prostitutas, yonkis y bomberos. Travestis, políticos y banqueros. Prisas, alegrías y sorpresas. Ilusiones, esperanzas y problemas. Áticos y sótanos. Amores y desamores. (De personas). Razas, culturas, idiomas... Y personas.

B. ¿Qué es para ti una ciudad? Escribe una nueva versión del texto con tus ideas.

ASÍ PUEDES APRENDER MEJOR

¿Cómo lo digo?

A. Lee la opinión de la actriz Gracia Montes sobre el tema de la ciudad o el campo. ¿Estás de acuerdo con ella?

LA OPINIÓN DE LOS FAMOSOS

¿VIVIR EN EL CAMPO O VIVIR EN LA CIUDAD?

Aunque para algunas personas vivir en el campo puede resultar atractivo, por ser más sano, creo que la vida en la ciudad ofrece muchas más ventajas: espectáculos y vida cultural, comercios y servicios de todo tipo. Las desventajas del campo son evidentes: los insectos, la falta de intimidad que suele haber en los pueblos, etc. Una solución intermedia, sin embargo, puede ser la ideal: alternar la vida en el campo y la ciudad. Pero esto no todo el mundo puede hacerlo, por razones tanto económicas (sale mucho más caro) como profesionales (uno se ve obligado a permanecer en la ciudad, o en el campo).

GRACIA MONTES
Actriz de cine.
Vive en un pueblecito de Segovia, a 115 km de Madrid.

60

B. Ahora escucha a Gracia Montes hablar con unos amigos sobre el tema. Fíjate en cómo formula sus opiniones, ¿lo hace igual que por escrito? ¿Qué diferencias observas?

La conversación es el tipo de comunicación más frecuente en las relaciones humanas y, como ves, tiene características muy distintas a las del texto escrito. Estos son algunos de los mecanismos que usan los interlocutores.

Para expresar sus opiniones cooperan:
- completando la frase del otro,
- usando las palabras que ha dicho el otro o repitiéndolas,
- asegurándose de que entienden lo que quieren decir los demás.

Para decir lo que quieren, la entonación es tan importante como la gramática y el vocabulario.

Las frases en la conversación tienen unas características propias y diferentes al texto escrito planificado:
- son más cortas,
- contienen repeticiones, vacilaciones,
- están incompletas.

En la conversación lo importante es cooperar con los interlocutores; cooperar tanto verbal como no verbalmente (a veces, con una sola palabra o un gesto). Para comunicarnos de modo eficaz y fluido, es mejor estar atento a la eficacia de la comunicación y no preocuparse solo por los errores gramaticales.

AUTOEVALUACIÓN

EN GENERAL				
Mi participación en clase				
Mi trabajo en casa				
Mis progresos en español				
Mis dificultades				

Y EN PARTICULAR					
Gramática					
Vocabulario					
Fonética y pronunciación					
Lectura					
Audición					
Escritura					
Cultura					
Expresión oral					

DIARIO PERSONAL

En la unidad GENTE DE CIUDAD he aprendido (muchas / bastantes / algunas cosas) sobre las ciudades en las que se habla español. (Son / No son) muy diferentes a las de mi país. En la clase hemos trabajado en grupos y .... El problema es a veces .... Uno de los objetivos de esta unidad es aprender a debatir y en mi grupo hemos discutido en español (mucho / poco / no suficientemente). (Todos / No todos) han participado mucho.

10 gente y fechas

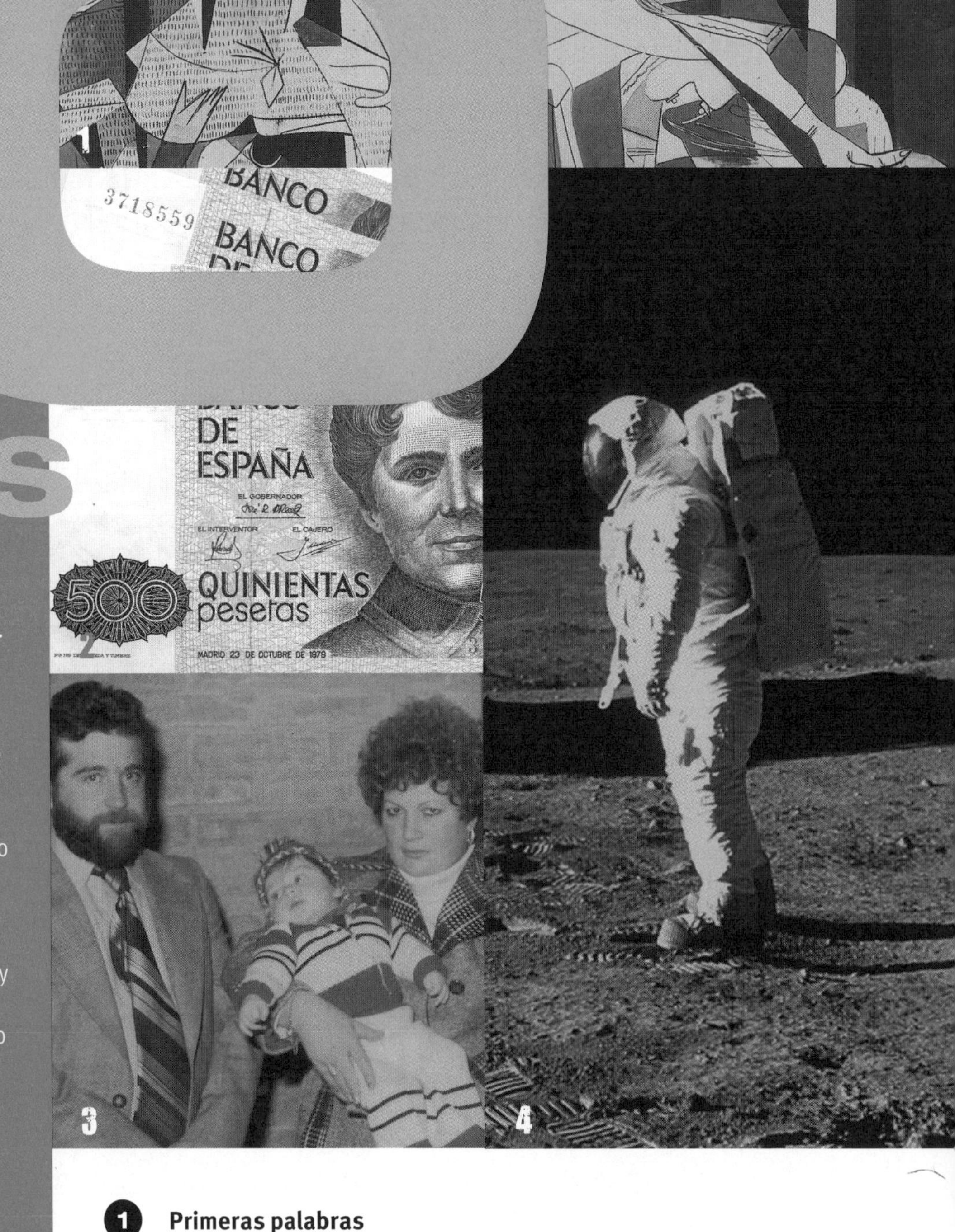

1. **Primeras palabras.** Vocabulario útil para la unidad.
2. **Fechas importantes.** Un concurso de fechas históricas. Fechas y acontecimientos.
3. **Frases para completar.** Contraste de formas (pretérito indefinido y presente). Relacionar frases.
4. **Continuación lógica.** Señalar la continuación lógica de unas frases. Pretérito indefinido (yo, tú, él).
5. **Estos días.** Tu diario: lo que has hecho hoy, lo que hiciste ayer y lo que hiciste la semana pasada. Pretérito perfecto y pretérito indefinido.
6. **Vaya lío, Valentina.** Corregir informaciones. Pretérito perfecto y pretérito indefinido.
7. **Buenos propósitos.** Contraste entre pretérito perfecto y pretérito indefinido.
8. **Cambios importantes.** Cambios en el mundo. Pretérito perfecto y pretérito indefinido
9. **La última vez.** Marcadores de tiempo: **ayer, anoche, anteayer...**
10. **La primera vez.** La primera vez que hiciste algo: dónde y cuándo.
11. **Imágenes de una vida.** Léxico de biografías. Pretérito indefinido.
12. **Un cuestionario.** Algunas fechas de tu vida y de la de tu compañero.
13. **Dos biografías.** Vocabulario de biografías. Pretérito perfecto y pretérito indefinido.
14. **Fechas clave.** Relacionar fechas y acontecimientos. Pretérito indefinido.
15. **Mi año.** Fechas y acontecimientos importantes.

Agenda

1 Primeras palabras

A. Fíjate en estas palabras. ¿Puedes asociarlas con las imágenes?

tener un hijo .... primera vez ....

viajar al espacio .... guerra ....

pasar a la historia .... nacer .... crecimiento económico ....

B. Ahora piensa en otras palabras útiles para la unidad y asócialas a las imágenes anteriores.

2 Fechas importantes LA 1

61

Escucha las respuestas de dos concursantes del programa ¿Cuándo fue?. ¿Cuál de los dos tiene más respuestas correctas? Estas son las fichas de las preguntas.

AVANCES DE LA CIENCIA Y LA TÉCNICA

2008 Se encuentra hielo en Marte.
2003 Decodificación completa del genoma humano.
1969 N. Amstrong pone el pie en la Luna.
1961 Gagarin, primer "hombre del espacio".
1919 Leonardo Torres Quevedo inventa el transbordador de las cataratas del Niágara.

ACONTECIMIENTOS SOCIALES Y POLÍTICOS

2008 Quiebra de Lehman Brothers e inicio de la crisis económica global.
2002 Entra en circulación el euro.
1969 Dimisión de De Gaulle.
1957 Tratados de Roma: nacimiento de la CEE y del Euratom (Europa de los Seis).
1945 Conferencia en Yalta. Stalin, Roosevelt y Churchill. Acuerdo sobre la creación de la ONU.

PREMIOS NOBEL Y CIENTÍFICOS

2009 Barack Obama, premio Nobel de la Paz.
1982 García Márquez, premio Nobel de Literatura.
1959 Severo Ochoa, Premio Nobel de Medicina.
1921 Albert Einstein, Premio Nobel de Física.
1906 Santiago Ramón y Cajal, Premio Nobel de Medicina.

VIDAS DE FAMOSOS

2008 Boda de Nicolas Sarkozy y Carla Bruni.
2004 Boda en Madrid del Príncipe Felipe de Borbón y Letizia Ortíz.
1997 Muerte de Lady Di.
1968 Boda de Jacqueline Kennedy con A. Onassis.
1956 Boda de Rainiero y Grace Kelly.
2008 Boda de Sarkozy y Carla Bruni.

MAGNICIDIOS

2006 Anna Lindh, ministra de Exteriores de Suecia.
1995 Isaac Rabin, primer ministro de Israel.
1986 Olof Palme, primer ministro de Suecia.
1978 Aldo Moro, primer ministro de Italia.
1967 Che Guevara, comandante de la Revolución Cubana.

	PRIMER CONCURSANTE	correcto	incorrecto	SEGUNDO CONCURSANTE	correcto	incorrecto
1.ª pregunta						
2.ª pregunta						
3.ª pregunta						
TOTAL						

3 Frases para completar LA 2

62

Vas a escuchar diez frases incompletas. Fíjate en si el verbo está en presente (**hablo**) o en pretérito indefinido (**habló**) y escríbelo. Después señala la continuación lógica de cada frase.

1. Hablo
- [x] **a.** pero no sé escribirlo.
- [ ] **b.** al principio de la conferencia, y luego se expresó en inglés.

2. ....
- [ ] **a.** con una beca que me ha dado el Ministerio de Educación y Ciencia.
- [ ] **b.** y luego regresó a su país.

3. ....
- [ ] **a.** pero se cansó enseguida y decidió buscar un puesto en un periódico.
- [ ] **b.** pero no me gusta mucho y me gustaría trabajar en la televisión.

4. ....
- [ ] **a.** la playa no me gusta.
- [ ] **b.** allí conoció a su novio.

5. ....
- [ ] **a.** lo siento, es hora punta y hay mucho tráfico.
- [ ] **b.** y por eso perdió el avión.

6. ....
- [ ] **a.** sus amigos tomaron el ascensor.
- [ ] **b.** no me gusta usar el ascensor.

7. ....
- [ ] **a.** no se movió de allí hasta que llegaste.
- [ ] **b.** si tienes un problema, me llamas y voy a ayudarte.

8. ....
- [ ] **a.** porque se quedó sin batería en el móvil.
- [ ] **b.** mi móvil está sin batería.

9. ....
- [ ] **a.** vio las noticias de la tele y se fue a dormir a las 11.
- [ ] **b.** veo las noticias de la tele y me voy a dormir temprano.

10. ....
- [ ] **a.** así me entero de lo que pasa en el mundo antes de leer el periódico.
- [ ] **b.** pero no escuchó ninguna noticia sobre el accidente de tren.

La forma de la tercera persona del singular en presente y en pretérito indefinido puede ser muy parecida. Fíjate en dónde lleva el acento la palabra para diferenciarlas.

4 Continuación lógica LA 3

63

A. Vas a escuchar a diez personas. Señala cuál de las siguientes frases es la continuación lógica de lo que dicen.

a. Vio *La Maja desnuda*, de Goya. Le gustó mucho.
b. Pero me olvidé el bañador en casa, así que no me bañé.
c. Vi *Las Meninas*, de Velázquez. Me gustó mucho.
d. Me encantó la música y el ambiente. Tenemos que ir juntos.
e. Y en 1971 se casó con ella.
f. Ganamos 3 a 0.
g. ¿Estuviste enfermo?
h. Ganó 3 a 0.
i. Pero se olvidó el bañador en casa, así que no se bañó.
j. Y en 1970 me casé con ella.

B. Vuelve a escuchar la audición para comprobar tus respuestas. Luego, completa este cuadro con las formas indicadas del pretérito indefinido.

	VER	ESTAR	IR	CONOCER	JUGAR
yo					
tú					
él					

5 Estos días LA 3

A. ¿Cuáles de estas cosas has hecho últimamente? Puedes añadir otras.

estudiar español
ver una película
leer el periódico | hacer deporte
mandar un correo electrónico
hablar por teléfono | ver a tu familia
hacer la compra
ir a tomar algo con amigos
salir de fiesta | limpiar | cocinar
hacer fotos | dar un paseo
conocer a alguien especial | llorar
tener un accidente | comprar flores
hacer un regalo
discutir con alguien

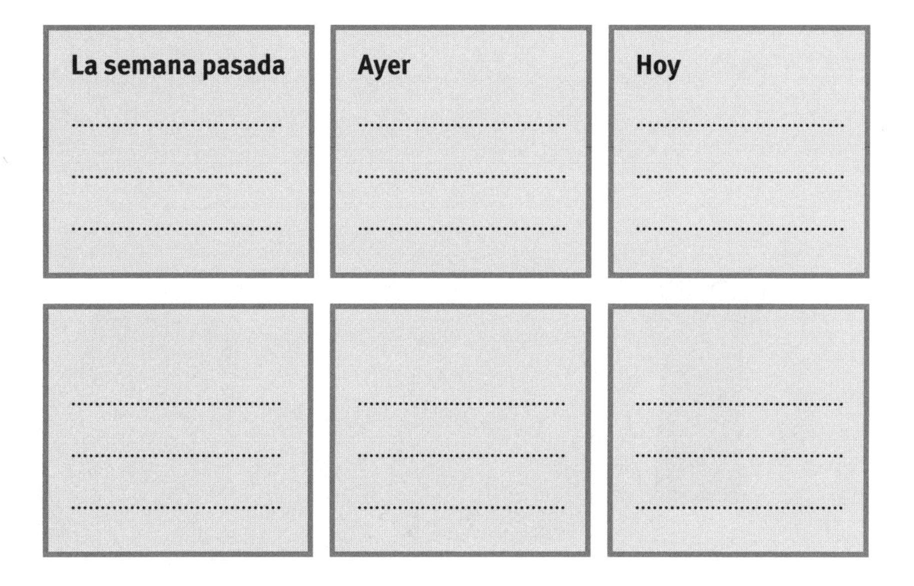

La semana pasada	Ayer	Hoy
....	....	....
....	....	....
....	....	....
....	....	....
....	....	....
....	....	....

B. Ahora escribe en tu cuaderno tres breves párrafos sobre lo que has hecho hoy, lo que hiciste ayer y lo que hiciste la semana pasada.

6 Vaya lío, Valentina LA 3

Imagina que hoy es jueves 14 por la noche. Esto es lo que ha hecho Valentina en los últimos días. Pero Valentina tiene muy mala memoria. Mira cómo se lo cuenta a una amiga suya. Corrige los errores, como en el ejemplo.

No, esta mañana no ha jugado a squash con Herminia, jugó ayer.

LUNES 11

8 - 9 h: clase de ruso
12 h: reunión con el Sr. Palacio
19 h: dentista

MARTES 12

Viaje de trabajo a Madrid
De compras en Madrid: traje chaqueta azul en las rebajas
22 h: fiesta de cumpleaños de Gabriel

MIÉRCOLES 13

Comida con el jefe y unos clientes belgas
Partido de *squash* con Herminia
Cena con Alfredo en una pizzería

JUEVES 14

De 9 a 11 h: clase de ruso
Comida con Isabel, una vieja amiga
Peluquería
Supermercado

Buenos propósitos LA 4

A. Esta es la lista de buenos propósitos que hizo Dani para el nuevo año. Fíjate en las imágenes y subraya los que ha cumplido.

dejar de fumar
comer sano
ir a un concierto de Estopa
visitar a mi hermana en París
estudiar inglés
cambiarme de piso
comprarme una moto
hacer deporte
perder peso
adoptar un perro

B. Escribe frases con las cosas que ha hecho Dani y las que no ha hecho.

Ha ido a un concierto de Macaco.

Cambios importantes LA 4

Piensa en estos temas y formula algunos cambios que crees que han sucedido en los últimos 10 años. Luego habla con un compañero. ¿Habéis pensado las mismas cosas?

Tu ciudad o pueblo	La naturaleza	Las comunicaciones	Las relaciones internacionales
....	....	....	....
....	....	....	....
....	....	....	

La vida cotidiana	Los transportes	La televisión	La política
....	....	....	....
....	....	....	....
....	....	....	....

9 La última vez LA 5

¿Cuándo hiciste por última vez estas cosas? Responde con los siguientes marcadores temporales.

LA ÚLTIMA VEZ QUE...
- cenar en un restaurante excelente
- tener que decir una mentira
- conocer a una persona rara
- leer una buena novela
- llorar viendo una película
- perderte en una ciudad
- gastar demasiado
- perder una llave
- olvidar algo importante
- oír una buena noticia
- ver un paisaje especialmente bonito
- tener una conversación interesante
- escribir un correo electrónico
- tener una sorpresa agradable

ayer | anteayer | anoche | el lunes/martes... pasado | la semana pasada | el 19... | el mes /año pasado | cuando era niño | no lo he hecho nunca

Anoche comí en un restaurante excelente. Fui a cenar con mi novio.

La primera vez LA 5

A. ¿Recuerdas dónde y cuándo fue la primera vez que...? Lee los elementos y completa la tabla con tus respuestas.

	¿DÓNDE?	¿CUÁNDO?
1. Comer paella	*Comí paella por primera vez en Tenerife.*	*Fue en 2003.*
2. Ir en bicicleta	*No me acuerdo.*	*Fue hace muchos años.*
3. Subir a un avión		
4. Estar en un país de lengua española		
5. Viajar en barco		
6. Estar en una isla		
7. Conocer a un español o hispanoamericano		
8. Pasar unas vacaciones sin la familia		
9. Ir a una boda		
10. Votar en unas elecciones		
11. Ver un gran espectáculo		

B. Ahora averigua cuándo y dónde hizo tu compañero estas cosas por primera vez.

- *¿Cuándo y dónde comiste paella por primera vez?*
- *Pues... fue en Tenerife en 2003, en un viaje con la universidad. ¿Y tú?*
- *Yo nunca he comido paella.*

Imágenes de una vida LA 5

A. Fíjate en estas imágenes de la vida de Amalia. ¿Puedes ordenarlas cronológicamente?

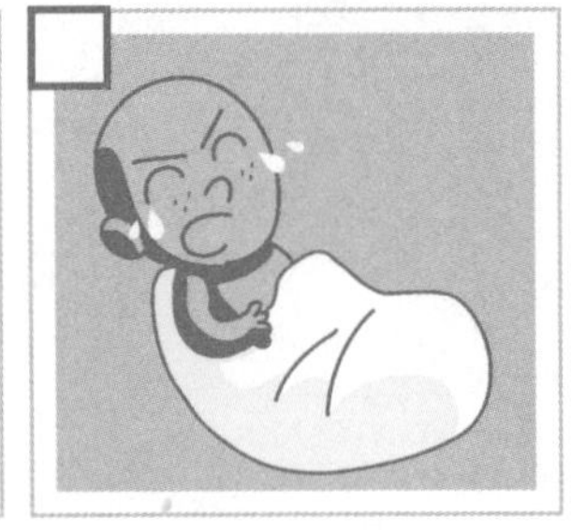

B. Ahora escribe una pequeña biografía de Amalia inventando la información que te haga falta.

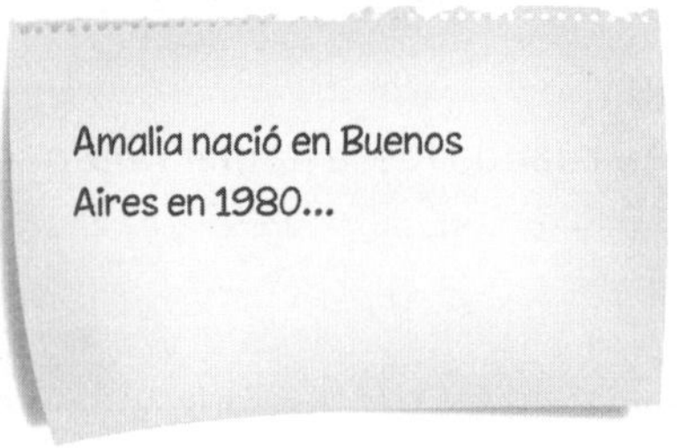

Un cuestionario LA 6

A. Imagina que en tu trabajo o en tu escuela te piden que respondas a este cuestionario.

	yo	mi compañero
1. ¿En qué año nació usted?	En mil novecientos ochenta y seis.	
2. ¿Cuándo empezó la escuela primaria?		
3. ¿Cuál fue la primera lengua extranjera que estudió? ¿Cuándo empezó a estudiarla?		
4. ¿Cuándo empezó a estudiar español?		
5. ¿En cuántas escuelas ha estudiado? ¿Cuánto tiempo?		
6. ¿Ha vivido en el extranjero? ¿Dónde? ¿Cuánto tiempo?		
7. ¿Desde cuándo vive usted aquí?		

B. Ahora hazle el cuestionario a un compañero. ¿Coincidís en muchas cosas?

- *¿En qué año naciste?*
- *En el...*

13 Dos biografías LA 7

A. ¿Qué sabes sobre estas dos personas?

B. Aquí tienes algunas frases con información sobre ellos. ¿Puedes relacionar cada frase con uno de ellos?

1 JUAN ANTONIO BARDEM

2 JAVIER BARDEM

- ☐ Fue un director de cine español.
- ☐ Obtuvo el premio al mejor guion y a la mejor comedia en el Festival de Cannes.
- ☐ Tuvo problemas en España con la censura.
- ☐ Fue militante del Partido Comunista de España.
- ☐ Es un actor muy importante. Ha trabajado en teatro, cine y televisión.
- ☐ Ha obtenido, entre otros premios, seis Goya, un Globo de Oro, un BAFTA y el premio del Festival de Cannes al mejor actor.
- ☐ Ha sido el primer actor español en ganar un Óscar.
- ☐ Participa activamente en la plataforma Todos con el Sahara.
- ☐ Tuvo cuatro hijos.
- ☐ Vivió en Madrid gran parte de su vida.
- ☐ Escribió un libro de memorias titulado *Y todavía sigue*.
- ☐ Nacio en Madrid en 1922 y murió en la misma ciudad en 2002.
- ☐ Trabajó en diferentes películas con su amigo Luis García Berlanga.
- ☐ Ha tenido un hijo que se llama Leo.
- ☐ Ha vivido en Madrid durante muchos años.
- ☐ Ha mantenido siempre en secreto su vida privada.
- ☐ Nació en Las Palmas de Gran Canaria en 1969.
- ☐ Ha trabajado con su mujer, Penélope Cruz, en diferentes películas.

C. Compáralo con tu compañero. ¿Coincidís?

14 Fechas clave LA 8

¿Te dicen algo estos años? Relaciónalos con los siguientes hechos y escribe frases como las del ejemplo.

1492	EMPEZAR la Revolución francesa
1789	DECLARARSE la independencia de Estados Unidos
1898	Colón LLEGAR a América
1918	España DECLARAR la guerra a Estados Unidos
1776	COMENZAR la Guerra de Irak
2012	ESTALLAR la Guerra en Afganistán
1939	TERMINAR la Guerra Civil Española
1968	TERMINAR la I Guerra Mundial
2001	HABER un gran movimiento de estudiantes y obreros en Europa
2003	EMPEZAR la Guerra Civil Siria

En 1492 Colón descubrió América.
En 1492 fue cuando Colón descubrió América.

15 Mi año LA 10

¿En qué año naciste?¿Qué otras cosas importantes ocurrieron ese año? Haz una línea del tiempo con los acontecimientos más importantes que recuerdes y busca información en internet para completarla.

ASÍ PUEDES APRENDER MEJOR

Mi mejor viaje

A. A Carla le han pedido que escriba una redacción sobre su mejor viaje. Aquí tienes un esquema que ha hecho antes de empezar a escribir el texto. Fíjate en cómo organiza la información. ¿Qué categorías utiliza?

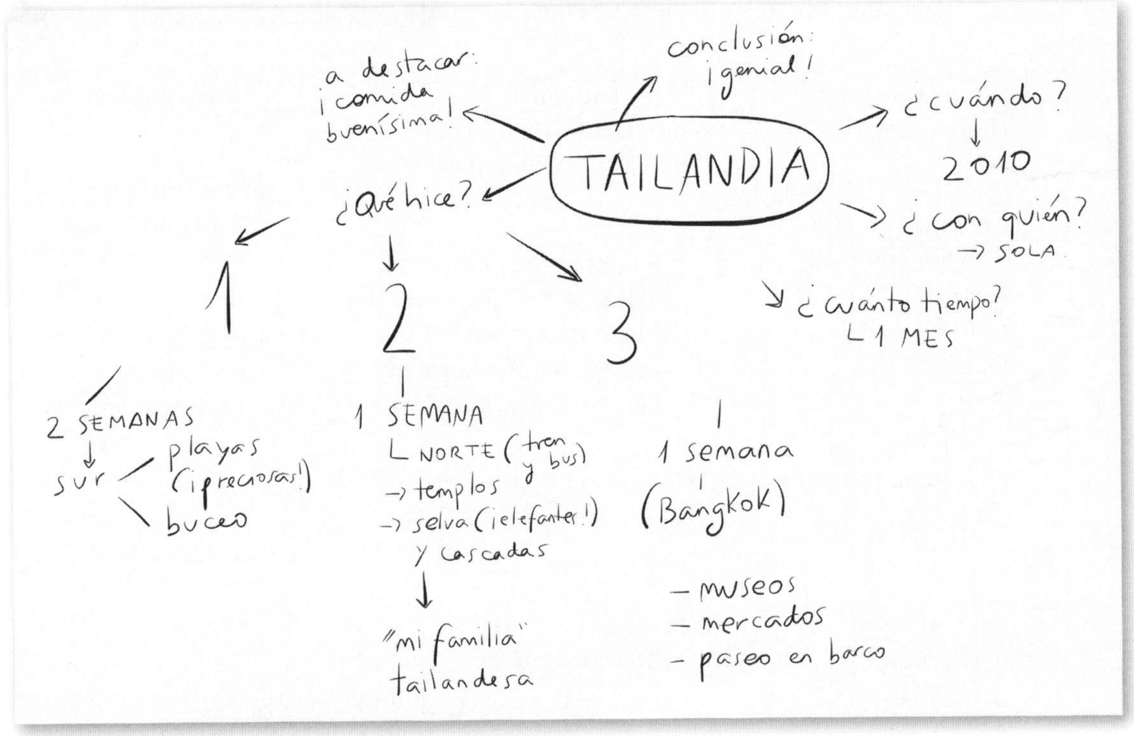

B. Este es el texto que Carla ha escrito. Subraya la información que aparece en el esquema y fíjate en los recursos que ha utilizado Carla para unir las ideas.

En 2010 viajé a Tailanda. Estuve de viaje 1 mes y visité muchos lugares. Fui yo sola, pero allí conocí a mucha gente interesante. Primero, durante las dos primeras semanas, visité las playas del sur del país e hice un curso de buceo. Después viajé hacia el norte en tren y en autobús. En el norte visité los templos de diferentes ciudades e hice algunas excursiones por la selva. En la selva vi elefantes salvajes, fue increíble. Pero no monté en elefante, aunque muchas empresas me lo propusieron, porque a mí me parece algo cruel. También me bañé en lagos con cascadas naturales y probé la cocina tradicional de la zona, ¡incluidos los insectos! No me gustaron nada... Tuve la oportunidad de vivir algunos días en un pueblo de la selva con una familia. Aprendí muchas cosas, e incluso un poquito de la lengua. Por último pasé una semana en Bangkok, en la capital. Allí visité algunos de los numerosos museos que hay y muchos mercados. Para mí, visitar los mercados de un lugar es una de las mejores maneras de conocer su cultura. También di un paseo en barco por el río, disfruté de algunos masajes tailandeses y aprendí a cocinar algunos platos típicos en una escuela de cocina. Fue una experiencia inolvidable.

Una buena estrategia para concebir un texto es hacer un esquema con lo que quieres decir. Después puedes buscar las palabras que necesitas y pensar en cómo puedes unir la información de tu esquema con marcadores y conectores.

C. Ahora sigue los mismos pasos que Carla para escribir un texto sobre tu mejor viaje.

AUTOEVALUACIÓN

EN GENERAL				
Mi participación en clase				
Mi trabajo en casa				
Mis progresos en español				
Mis dificultades				

Y EN PARTICULAR					
Gramática					
Vocabulario					
Fonética y pronunciación					
Lectura					
Audición					
Escritura					
Cultura					
Expresión oral					

DIARIO PERSONAL

En la unidad GENTE Y FECHAS he aprendido (mucho/bastante/poco) ....
.... sobre fechas importantes del mundo hispano. También he aprendido .... Aunque todavía tengo problemas con .... Soy capaz de situar acontecimientos en el pasado con respecto a un momento concreto y puedo distinguir (bien/regular/mal) .... cuándo usar el pretérito perfecto y cuándo el pretérito indefinido. Me gustaría pedirle al profesor más actividades para practicar ....

11 gente en casa

1. **Primeras palabras.** Vocabulario útil para la unidad.
2. **Cosas de casa.** Vocabulario: muebles y partes de la casa.
3. **Apartamento nuevo.** Vocabulario: muebles y objetos de la casa.
4. **Accesorios.** Vocabulario: objetos de la casa.
5. **Pisos en el plano.** Partes de la casa, comparaciones.
6. **¿Cuál es tu dirección?** Direcciones.
7. **¿En qué número vives?** Preguntas para completar una dirección.
8. **Entonces...** Confirmar órdenes, repetir lo oído.
9. **Riega las plantas, por favor.** Instrucciones con imperativo y **tener que** + infinitivo.
10. **Consejos de madre.** Imperativo. Pronombres de OD.
11. **Invitados.** Instrucciones para llegar a un sitio.
12. **Sigue todo recto.** Direcciones. Imperativo. **Tú** y **usted**.
13. **¿Cómo lo dices?** Vocabulario de indicaciones.
14. **Abreviaturas.** Anuncios de pisos, abreviaturas. Buscar el piso más adecuado para alguien.
15. **Se vende casa.** Anuncios inmobiliarios.
16. **Claves para buscar piso.** Consejos para buscar piso. Imperativo.
17. **Vendo casa.** Describir tu casa. Escribir un anuncio.
18. **Be y uve.** Fonética: el sonido de **b** y **v** en posición inicial de palabra y entre vocales.
19. **Mapas de palabras.** Vocabulario: la casa. Estrategias de aprendizaje.

Agenda

1 Primeras palabras

A. ¿Puedes relacionar estas palabras con las imágenes?

alquiler .... mesa .... salón .... sofá ....
cocina .... ciudad .... lámpara ....
baño .... piso ....

B. Piensa en otras palabras que pueden ser útiles para esta unidad. Si no sabes cómo se dicen en español, puedes buscarlas en el diccionario.

2 Cosas de casa LA 2

A. Fíjate en estas palabras. ¿Las conoces todas? Escríbelas en el lugar del plano con el que tienen más relación. Puede haber varios criterios para colocarlas en un lugar o en otro.

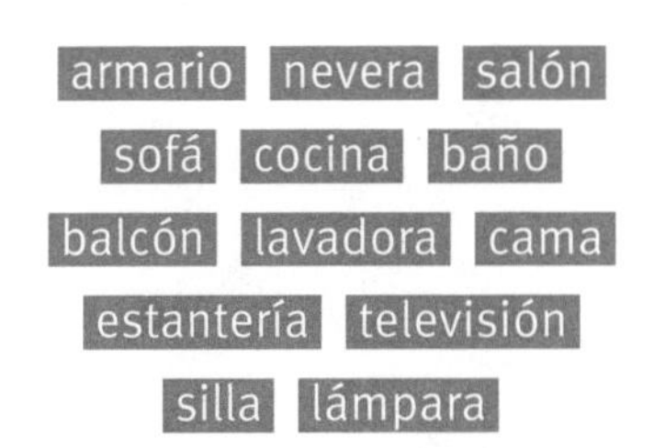

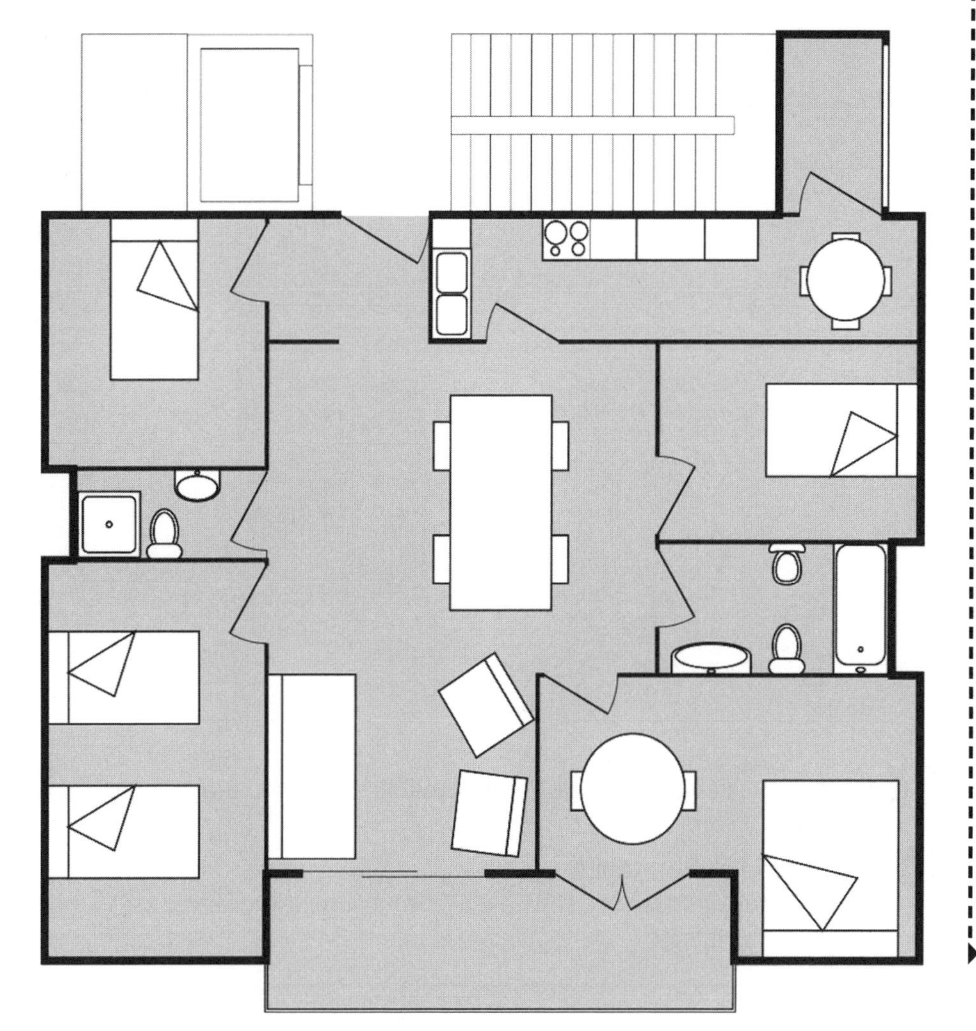

B. ¿Conoces otras palabras? Escríbelas también.

C. Ahora compara tu plano con el de un compañero. ¿Están todas las palabras en el mismo lugar? ¿En su plano hay algunas palabras que no tienes? Añádelas al tuyo y pregúntale el significado de las que no conozcas.

3 Apartamento nuevo LA 3

A. Imagina que tienes que mudarte a un apartamento sin amueblar. ¿Qué cosas de las páginas 120-121 del Libro del alumno vas a comprar? ¿Dónde las vas a poner? ¿Necesitas otras?

MUEBLES, ELECTRODOMÉSTICOS...	PARTE DE LA CASA
....	....
....	....
....	....
....	....
....	....
....	....
....	....

B. Compara tu lista con la de tu compañero.

- *Julia ha puesto el sofá al lado del balcón, pero yo lo he colocado enfrente porque...*

Accesorios LA 3

A. ¿Sabes el nombre de las cosas numeradas en la ilustración? Utiliza el diccionario si lo necesitas.

1. ....
2. ....
3. ....
4. ....
5. ....
6. ....
7. ....
8. ....
9. ....
10. ....
11. ....
12. ....

B. Piensa en otras cosas "imprescindibles" en una casa. ¿Coincides con un compañero?

5 Pisos en el plano LA 4

Mira estos dos planos y señala qué afirmaciones son verdad. Corrige las falsas.

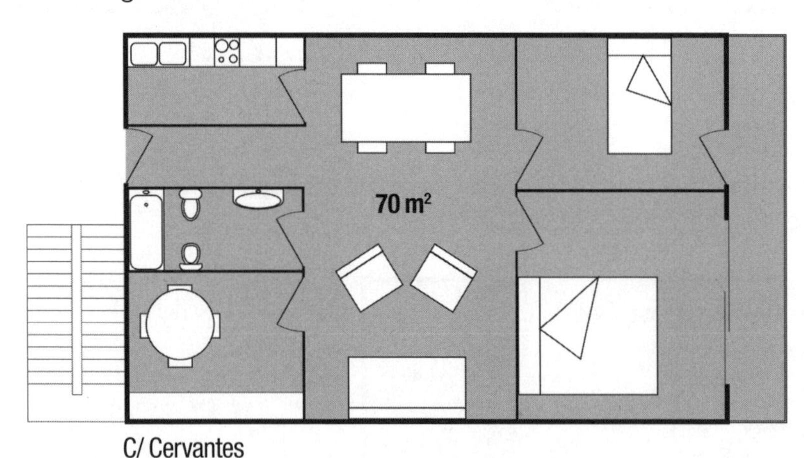

C/ Cervantes

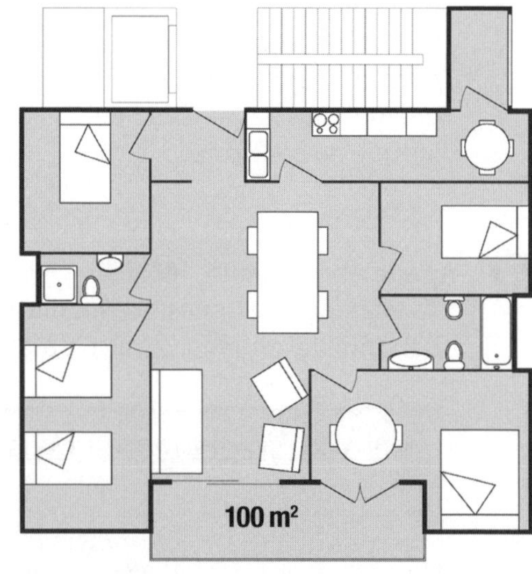

Avda. América

1. El de la calle Cervantes tiene un baño y un aseo. *No, no es verdad. Tiene solo un baño.*
2. El de la calle Cervantes tiene más metros cuadrados (m^2).
3. El de la avenida América solo tiene dos dormitorios.
4. El baño del de la avenida América es más pequeño.
5. El de la calle Cervantes tiene dos dormitorios de matrimonio.
6. El salón del de la avenida América tiene terraza.
7. El de la calle Cervantes tiene un pequeño balcón al lado de la cocina.
8. El salón del de la calle Cervantes es más grande que el del otro piso.

6 ¿Cuál es tu dirección? LA 5

64-67

Escucha a estas personas que dan sus direcciones y marca en la tabla a quién corresponde cada información.

Nombre	1. Arturo	2. Benito	3. Carmen	4. Silvia

	1.er Apellido		2.º Apellido		Dirección		Número		Piso		Código postal		Localidad
	Cano		Valdés		Avenida de Navarra		3		bajos		44566		Madrid
	Díaz		Puértolas		Paseo de la Estación		187		entlo. 1.ª		28008		Vitoria
	Cantero		García		Avenida de los Plátanos		16		1.º dcha.		28003		Aguaviva (Teruel)
1	Coromina		Ciruelo		Plaza de la Paja		46		1.º izq.		01007		Molina de la Sierra (Madrid)

7 ¿En qué número vives? LA 5

A. Estas direcciones faltan datos.
Inventa información para completarlas.

SANDRA GARCÍA ....
Calle Fernando VII, n.º ....
.... Madrid

SUSANA ROCHE GRACIA
Calle Pino, ...
.... Sevilla

ISABEL MONTE ....
Avda de la Constitución, 31, ...
.... Valencia

C. MARCOS FUENTES
Plaza ...., 31............
...................., ...

BENITO VILLA SALCEDO
................................., 23, 2.º A
.... Bilbao

B. ¿Qué preguntas puedes hacer para obtener la información que has escrito?

¿Cuál es tu segundo apellido?
¿En qué número vives? / ¿En qué piso vives?
¿Cuál es el código postal?
...

Entonces... 

68

Contesta, como en el ejemplo, repitiendo la información clave de las instrucciones que oirás.

- ¿Tengo que coger la línea cinco y bajar en la plaza de España?

Riega las plantas, por favor LA 7

Un amigo tuyo se va a quedar en tu casa mientras tú te vas de vacaciones. ¿Qué tiene que hacer en tu casa? Aquí tienes algunas ideas: complétalas y/o añade otras cosas. Luego escribe una nota usando imperativo y **tienes que** + infinitivo.

- Regar las plantas del jardín / de dentro / de la terraza...
- Cerrar el gas / el agua / las ventanas... al salir.
- Dar de comer a los peces / al gato...
- Comprar...
- Sacar el correo del buzón.
- Sacar a pasear al perro.
- Abrir el correo electrónico.

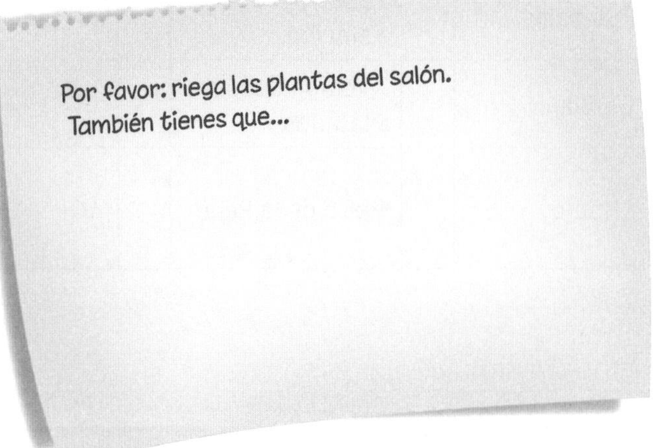

Consejos de madre LA 7

A. Ana se ha ido a vivir sola y su madre, preocupada, le recuerda todas las cosas que tiene que hacer. Completa sus frases con el pronombre adecuado en cada caso.

1. Si cocinas mucha comida, congéla................ para otro día.
2. El baño, límpia................ todas las semanas.
3. La lavadora, pon................ por la noche que es más barato.
4. Las camisas, cuélga................ en el armario.
5. Los calcetines, méte................ en un cajón con el resto de la ropa interior.
6. La fruta, cómpra................ en el mercado, no en el supermercado.
7. Acuésta................ pronto.
8. Láva................ los dientes después de las comidas.
9. Llám a................ todas las noches.

B. Piensa en otras cosas que puede decir la madre de Ana y escríbelas. Toma como modelo los ejemplos del apartado anterior.

Invitados LA 7

Has invitado a tres compañeros de clase a cenar. Dales instrucciones para ir a tu casa desde la escuela. Explícales cómo ir a pie, en coche y en transporte público.

- A pie no se puede. Está demasiado lejos...

12 Sigue todo recto LA 7

A. La recepcionista de un hostal da algunas indicaciones a los clientes para llegar a distintos lugares de la ciudad. ¿A qué lugar tienen que llegar los clientes en cada caso? Localízalo en el mapa.

1. ● Disculpe, ¿nos puede decir cómo llegar a la plaza de toros?
   ○ Es muy fácil. **Salgan** del hotel y **giren** a la derecha hasta el Paseo de Cristóbal Colón. **Continúen** recto y **caminen** unos doscientos metros. A mano derecha está la plaza.
   ● Muchas gracias.

2. ● Perdona, ¿puedes decirnos como llegar a la universidad?
   ○ Sí, a ver... **Mirad**, **salid** del hotel y **girad** a la izquierda. Después **tomad** la segunda calle a la izquierda y **continuad** recto. La universidad está ahí mismo.
   ● Gracias.

3. ● Disculpa, ¿podrías indicarme cómo llegar a la plaza Nueva?
   ○ Por supuesto. Te digo la manera más fácil: **sal** del hotel y **gira** a la derecha hasta el Paseo de Cristóbal Colón. **Sigue** recto hasta la plaza de toros y **gira** a la derecha. **Sigue** recto por esa calle hasta un cruce grande y **continúa** recto. Depués de la curva está la plaza Nueva.
   ● Vale, muchas gracias.

4. ● Buenos días. ¿Sabe dónde hay una oficina de turismo?
   ○ Buenos días. Pues, **mire**, **salga** del hotel y **gire** a la izquierda por la avenida de la Constitución. **Continúe** recto y en el número 21 hay una oficina de turismo.
   ● Muchísimas gracias.

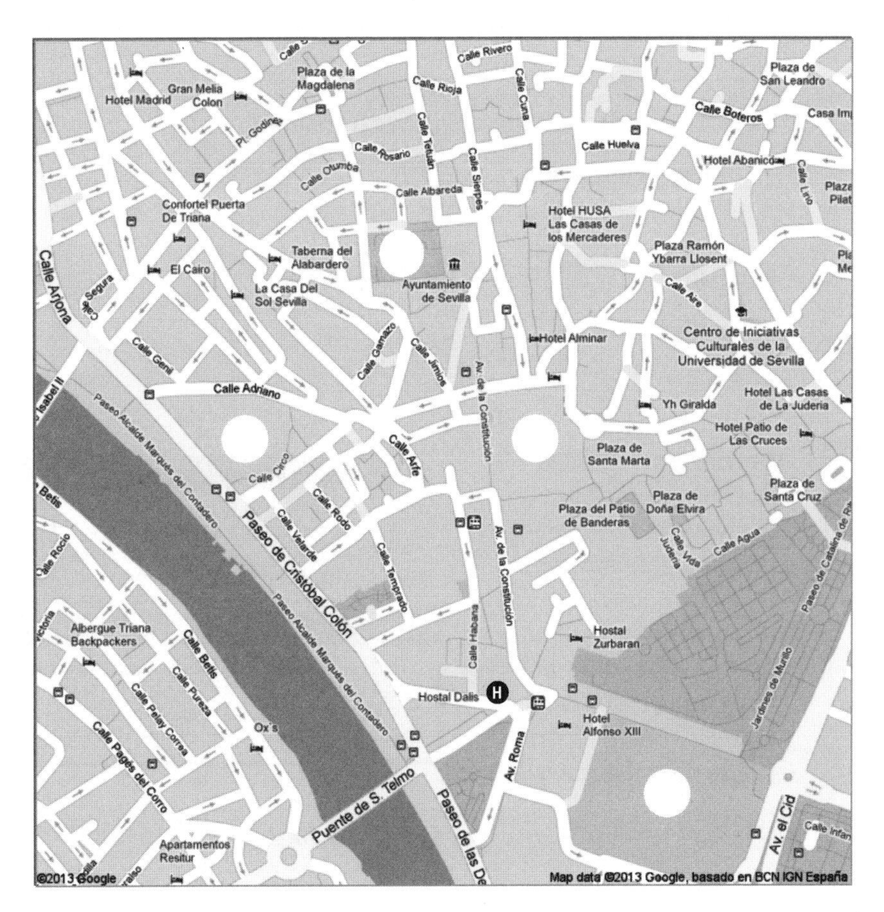

B. ¿Con quién habla la recepcionista en cada caso? Fíjate en las formas en negrita del apartado anterior y escríbelas en la tabla en su lugar correspondiente. Después completa las formas que no aparecen en las conversaciones.

	1	2	3	4
Con una chica				
Con una señora mayor				
Con varios chicos				girad
Con una pareja mayor				

C. Ahora marca tú otro lugar en el mapa y escribe las instrucciones para llegar desde el hotel. Si quieres, explícaselo a tu compañero. ¿Ha llegado bien?

13 ¿Cómo lo dices? LA 7

Estas son algunas de las expresiones que se usan en español para dar indicaciones. ¿Cómo se dicen en tu lengua?

1. Tienes que **coger el autobús** enfrente de la universidad.

   ....

2. En la parada de Urquinaona **haz transbordo** y **coge la línea roja**.

   ....

3. En la parada de plaza España tienes que **cambiar de línea**.

   ....

4. **Toma el bus** 32 y **baja en la parada** de plaza de España.

   ....

5. **Vete caminando hasta** Colón y allí **toma el tranvía** 6.

   ....

14 Abreviaturas LA 8

A. En los anuncios se abrevian muchas palabras. Pero comparando unos anuncios con otros y recordando las palabras que has aprendido, puedes entenderlo todo. Escribe los textos completos de cuatro de estos anuncios.

1
BARRIO TRANQUILO. 3 HAB. DOBLES. B. COMPL. Y DOS ASEOS. AMPLIO SAL. CON CHIMENEA. GRAN TERRAZA. ALT. MUY LUMINOSO.

2
160 M2, 4 HAB., SAL. COMEDOR, COCINA NUEVA, B. COMPLETO Y A. FINCA SEMI NUEVA. ASC. PQ. 3.

3
3 HAB. AMPLIO SALÓN COM. 2 BALC. PERFECTO ESTADO. TRZA. LISTO VIVIR. 95 M2.160 000 € TERCER PISO SIN ASC.

4
3 HAB., A. Y BAÑO, CAL. Y AC. EXT. ASC. ZONA TRANQUILA. JARDÍN. 140 000 €

5
2 HAB. COCINA AM. EXT. ZONA TRANQUILA Y SOL. FINCA ANTIGUA RESTAURADA. ZONA CENTRO. 240 000 €

6
1 HAB. ASEO BALC. MUY BIEN. IDEAL PAREJAS. ZONA CENTRO, JUNTO AYTO.

7
3 HAB. DOBLES, TRZA. EXT. MUY SOLEADO. VISTAS. CAL. ASC. PQ. FINC. MODERNA. PISCINA.

Está en un barrio tranquilo y tiene tres habitaciones dobles...

B. Estas personas quieren comprar un piso. ¿Cuál de los pisos de los anuncios que has leído puedes recomendar a cada uno?

Yo creo que para el chico de la primera viñeta está bien el piso... porque...

A ☐

B ☐

C ☐

D ☐

Se vende casa LA 8

69

A. Escucha a dos empleados de una agencia inmobiliaria. ¿Qué viviendas mencionan?

ALQUILERES

CHALÉS UNIFAMILIARES ALTO STANDING

Zona residencial. Superficie de 1200 m^2, 600 m^2 edificados. Salón-comedor de 65 m^2, gran cocina, biblioteca-despacho de 20 m^2, 8 habitaciones, 3 baños, 2 salones de 50 m^2 cada uno, garaje para 3 coches y motos, galería-lavadero, bodega, solarium, 3 terrazas. Piscina, jardín, calefacción y aire acondicionado. Excelentes vistas a la sierra.

Zona tranquila. Terreno de 500 m^2, 230 construidos. Garaje 3 coches, salón con chimenea, cocina office, 4 habitaciones, 2 baños, calefacción. Jardín.

Zona ajardinada. Solar 624 m^2. Construidos 450 m^2. Garaje 4 coches, sala de juegos, cuarto de lavado, trastero, salón con chimenea, cocina office, 6 habitaciones, estudio, piscina. Jardín. Preciosas vistas.

CASAS ADOSADAS

Paseo Acacias. Casa adosada 230 m^2. 4 habitaciones (1 en planta baja), 2 baños y 1 aseo, jardín 20 m^2, piscina y gimnasio comunitarios, garaje particular.

Paseo de la Estación. Casa adosada 200 m^2. 3 habitaciones, estudio de 40 m^2, salón-comedor de 30 m^2 a dos niveles, 2 baños completos, terraza, parking, amplio trastero. Jardín.

Avenida Constitución. Casa adosada. 180 m^2, 4 habitaciones, 2 baños y 1 aseo, salón-comedor 25 m^2, cocina con salida terraza y jardín. Estudio 15 m^2, solarium, garaje 3 coches, calefacción, vistas al mar, cerca estación FF. CC.

PISOS, APARTAMENTOS Y ESTUDIOS

Zona Pza. España. Piso 85 m^2, salón con chimenea, cocina, 3 habitaciones con armarios empotrados, 1 baño, 1 aseo.

C/ Santa Ana. Piso amueblado, 3 habitaciones dobles, salón-comedor, 4 balcones, suelo de parqué y de terrazo. Exterior y soleado. Céntrico.

Zona Reyes Católicos. Piso 70 m^2, comedor, cocina, 2 habitaciones exteriores, 1 baño y 1 aseo. Calefacción. Piscina y jardín comunitarios. Tranquilo y soleado.

Casco antiguo. Estudio totalmente renovado. 40 m^2. Ascensor. Exterior, con terraza y balcón. Tranquilo.

B. ¿Qué piso crees que van a escoger los clientes? ¿Por qué?

a. Pareja joven

b. Empresario

Claves para buscar piso 

A. Estos son algunos consejos que dan los usuarios de un foro sobre alquiler de pisos. ¿Cuáles te parecen más importantes? Ordénalos.

- ☐ Comprueba si está bien comunicado.
- ☐ Explora la zona y los alrededores.
- ☐ Infórmate sobre los gastos mensuales.
- ☐ Visita más de un piso antes de decidir.
- ☐ Comprueba que tiene todo lo necesario (agua, luz, gas, etc.).

B. Ahora, en parejas, pensad en otros cinco consejos útiles para buscar piso y completad la lista anterior.

- *Yo creo que es muy importante hablar con los vecinos.*
- *¿Sí? ¿Para qué?*

Vendo casa LA 10

Imagina que quieres vender tu casa. Descríbela en un anuncio sin abreviar las palabras. Puedes añadir un pequeño plano con los nombres de cada habitación.

Piso de dos dormitorios. 60 metros cuadrados. Salón comedor y cocina reformada. Finca antigua. Pequeño balcón. Barrio tranquilo. Vistas a un parque.

Be y uve

70

A. Fíjate en cómo suenan las letras b y v. ¿Suenan igual o diferente?

V: lava, avenida, la vecina, novio

B: habitación, abuelo, sabe, nube

B. Escucha ahora esta serie de palabras. ¿Suenan igual en 1 y en 2? ¿Puedes subrayar la opción correcta en cada regla?

1: barrio, barco, vino, viaje

2: lava, sabe, cabo, Álava

En general, en inicio de palabra o después de m o n, los sonidos de b y v suelen ser más fuertes (oclusivos) / más suaves (aproximantes).
Entre vocales los sonidos de b y v son más fuertes (oclusivos) / más suaves (aproximantes).

C. Lo mismo sucede con la **g** y con la **d**. Escúchalo. ¿Puedes escribir ahora tú una regla?

gato, pagar, guerra, agosto, garcía, hago

diez, cada, dar, hablado, diferente, poder

ASÍ PUEDES APRENDER MEJOR

19 **Mapas de palabras**

A. Piensa en todas las palabras que has utilizado en esta unidad y organízalas en el siguiente diagrama.

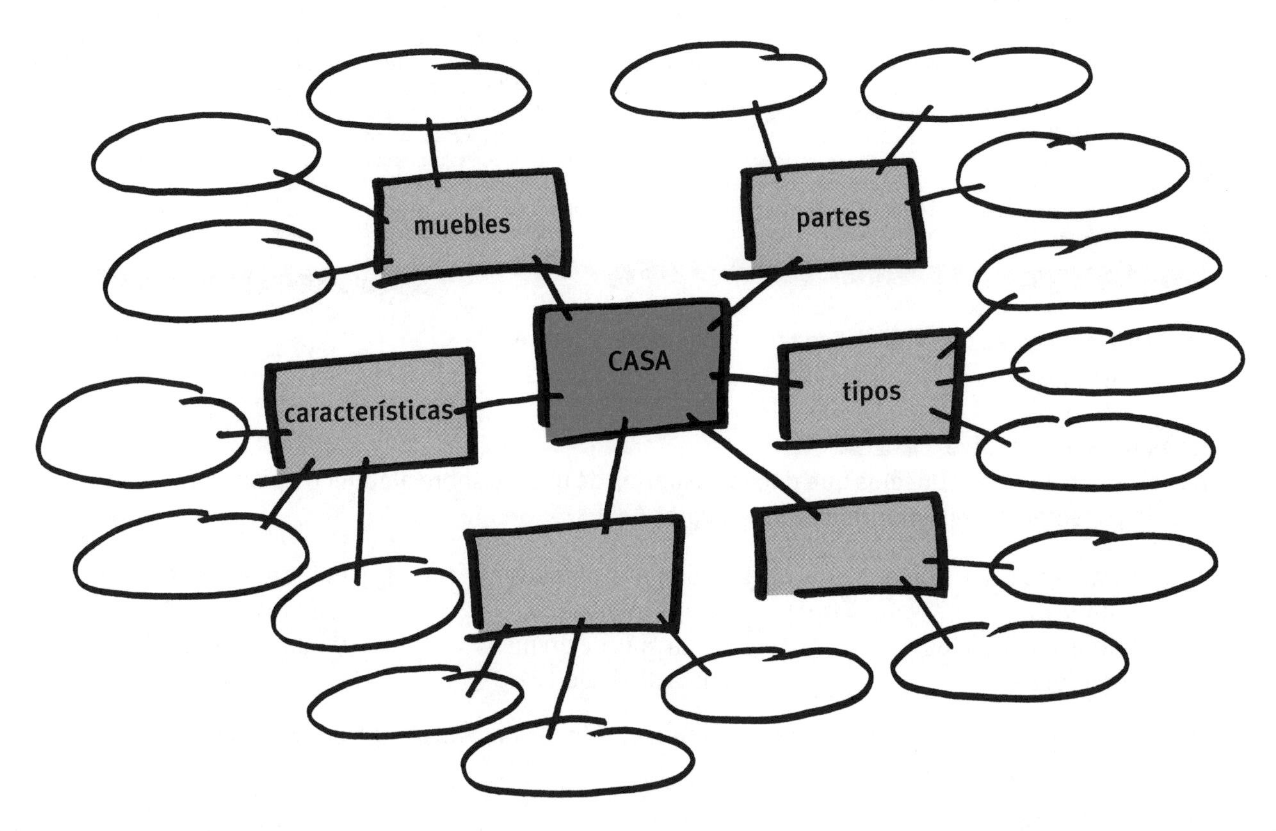

B. Los mapas de palabras son una buena estrategia para aprender palabras nuevas. ¿Qué otras estrategias utilizas? Haz una lista.

 **¿De tú o de usted?**

A. En tu lengua existe probablemente la distinción entre **tú** y **usted** o un sistema equivalente. Haz una lista con diez personas a las que tratas de un modo y otras diez a las que tratas del otro. Mira la lista de las personas a las que tratas de usted. ¿Puedes pensar en personas que las tratan de tú? Haz lo mismo con la otra lista: personas a quienes tratas de tú. ¿Quiénes las tratan de usted?

B. Además, según la situación, puede cambiar el tratamiento. Por ejemplo, un juez y su hija se tutean, pero si esta asiste a un juicio como testigo, los dos se tratarán de usted. ¿Puedes pensar en situaciones parecidas? Estás de viaje en España, de visita en casa de unos amigos. Es la primera vez que vas, pero ellos han estado en tu casa antes. ¿A quién tuteas? ¿A quién tratas de usted? ¿Por qué? ¿Observas algo antes de tomar la decisión?

Para hablar bien no basta con las reglas gramaticales. Existen también unas reglas sociales relativas al uso de la lengua. Estas nos permiten adaptarnos a la situación y hablar de diferentes maneras dependiendo del momento y lugar donde estamos, de los interlocutores, de su función, etc.

AUTOEVALUACIÓN

EN GENERAL				
Mi participación en clase				
Mi trabajo en casa				
Mis progresos en español				
Mis dificultades				

Y EN PARTICULAR					
Gramática					
Vocabulario					
Fonética y pronunciación					
Lectura					
Audición					
Escritura					
Cultura					
Expresión oral					

DIARIO PERSONAL

Después de haber trabajado con la unidad GENTE EN CASA, mi imagen de España y de los españoles (es la misma que antes / ha cambiado) ....
Esto es así porque .... En GENTE EN CASA he visto cómo viven los españoles y cómo son sus casas. Ahora creo que (sé / puedo / soy capaz de...) ....
.... La verdad es que, en este aspecto, entre España y mi país (hay / no hay) diferencias: allí, ... y aquí ....
....

12 gente e historias

1

2

3

4

5

6

1. **Primeras palabras.** Vocabulario útil para la unidad.
2. **Parecidos pero diferentes.** Forma **era**. Pretérito perfecto.
3. **Historias de abuelos. Ya, ya no, todavía, todavía no.**
4. **¿Cómo vivían?** Textos sobre civilizaciones antiguas. Observación de las formas del pretérito imperfecto.
5. **En mis tiempos...** Describir situaciones pasadas. Pretérito imperfecto.
6. **Cambios.** Cambios en la vida de una persona. Imperfecto.
7. **Objetos que han cambiado nuestra vida.** Descripción de objetos obsoletos. Pretérito imperfecto.
8. **Momentos inolvidables.** Narración de hechos y circunstancias. Indefinido e imperfecto.
9. **¿Cómo se conocieron?** Hechos y circunstancias.
10. **Nunca olvidaré cuando...** Hechos y circunstancias.
11. **Recuerdos en la radio.** Hechos y circunstancias.
12. **¿Cómo era la vida en tu infancia?** Descripción de una época pasada. Imperfecto.
13. **Hace 7 años.** Hábitos en el pasado. Imperfecto.
14. **Vida de artista.** Completar una biografía. Indefinido e imperfecto.
15. **Biógrafos por un día.** Preparar preguntas para una entrevista, entrevistar y escribir una biografía.
16. **Mi personaje conocido.** Dar información relevante sobre personajes relevantes.
17. **Macondo.** Comprender un texto literario. Describir imágenes.

Agenda

1 Primeras palabras

A. En esta unidad te serán útiles estas palabras. ¿Conoces el significado de algunas? ¿Puedes relacionarlas con las imágenes?

recuerdos .... pasado .... infancia ....

anécdota .... biografía ....

antiguo .... viejo .... antes ....

B. ¿Qué otras palabras quieres saber sobre este tema? Búscalas.

2 Parecidos pero diferentes LA 1

A. Fíjate en los elementos del pasado que hay en las páginas 128 y 129 del Libro del alumno. ¿Existen todavía o han evolucionado? Piensa en los cambios más importantes y escríbelos.

Los teléfonos fijos ahora son más pequeños y son digitales. La mayoría tiene una pantalla para ver quién llama y puedes guardar los números de teléfono, ver las llamadas perdidas... Pero se usan menos porque casi todo el mundo tiene móvil.

B. Piensa en otro objeto que ha cambiado en los últimos años. Describe brevemente cómo era y por qué razones ha evolucionado, busca fotos y preséntaselo a tus compañeros.

Esta foto es de un videojuego de 1996. Era muy simple... Ha evolucionado porque...

3 Historias de abuelos LA 2

A. Gloria le cuenta a su nieta cómo eran las cosas cuando era niña. Lee lo que dice y marca si las afirmaciones son verdaderas (V) o falsas (F).

Abuelita, ¿cuando tú eras niña había coches?

¡Claro que sí, mi niña! En mi pueblo, en los años cuarenta, **ya** había automóviles, ¡no soy tan vieja!

Y tus padres, abuela, ¿tenían coche?

Nooo, porque todavía eran caros y solo los tenían los ricos. En realidad **todavía no** había muchas familias con automóvil. Mis padres, por ejemplo, no podían comprar uno.

¿Y cómo ibas a los sitios?

En el pueblo **todavía** había muchos coches de caballos, los usaba la mayoría de la gente.

¿De verdad? ¡Qué lento viajar!

Bueno, **ya** había autobuses y trenes para viajes largos. Pero para ir de un pueblo a otro, la gente iba en coches de caballos. Eso sí, en los sesenta, cuando me casé, los automóviles eran más baratos y muchas familias, no todas, tenían uno. Así que **ya no** se veían tantos coches de caballos. Hoy en día todavía se ven, pero solo en lugares turísticos para dar paseos y cosas así. **Ya no** son un medio de transporte habitual, porque ahora todo el mundo tiene coche. Las cosas han cambiado mucho...

V	F	
☐	☐	**1.** Cuando la abuela Gloria era niña, había automóviles.
☐	☐	**2.** Durante su infancia, había coches de vapor.
☐	☐	**3.** Cuando Gloria era niña, muchas familias tenían automóvil.
☐	☐	**4.** Cuando Gloria se casó, no había muchos coches de caballos.
☐	☐	**5.** Ahora no hay coches de caballos.
☐	☐	**6.** Cuando la abuela era pequeña, los coches de caballos eran un medio de transporte habitual.

B. Observa cómo funcionan las formas destacadas en gris en las intervenciones de la abuela. Después completa las siguientes frases con **ya no**, **todavía**, **ya** y **todavía no**.

1. .... había coches de caballos, pero .... había coches de vapor.
2. .... había automóviles de gasolina, pero .... había automóviles eléctricos.
3. .... había trenes de vapor, pero .... había trenes eléctricos.
4. .... había cine mudo, y .... había cine en 3D.

C. ¿Y cómo era la vida cuando tú eras pequeño? Escribe frases.

fax | televisión en color | teléfonos móviles | cine en blanco y negro | cintas de vídeo | música en CD | música en mp3 | ordenadores portátiles | máquina de escribir | cámaras de fotos analógicas

Ya había teléfonos móviles, pero todavía no había "smartphones".

4 ¿Cómo vivían? LA 3

A. ¿Cómo era la vida en siglos pasados? Lee estos textos y decide a qué imagen corresponde cada uno.

A

Vivían en ciudades-estado. Cada ciudad estaba gobernada por un jefe, que tenía poderes civiles y religiosos. La sociedad estaba organizada en diversas clases: nobles, sacerdotes y pueblo. También había esclavos.

Tenían una religión en la que había diversos dioses. Adoraban a estos dioses y les ofrecían sacrificios. Uno de los más importantes era Itzamná, dios de la escritura y de los libros. La escritura era de carácter jeroglífico, como la de los egipcios.

Tenían un calendario solar con 18 meses de 20 días, más cinco días para completar el año. Utilizaban también un sistema aritmético que poseía un signo equivalente a nuestro cero. Gracias a estos dos sistemas, calendario y sistema aritmético, sus conocimientos astronómicos eran superiores, en muchos casos, a los de la cultura europea de la misma época. Así, por ejemplo, para ellos el año constaba de 365,2420 días, cálculo mucho más próximo a la medida actual (365,2422 días) que el de los europeos de aquella época (365,2500 días).

B

Es una de las civilizaciones más antiguas, que nació y se desarrolló a lo largo de un río. Estaban gobernados por emperadores, a los que consideraban descendientes de los dioses y llamaban faraones. Para estos faraones construían grandes monumentos funerarios, en forma de pirámide. Su religión tenía un dios principal, Amon-Ra, que era el dios del sol. Otro dios muy importante era Osiris, dios de los muertos. Creían en una vida después de la muerte, por eso preparaban a los muertos para esa vida.

La clase sacerdotal era muy numerosa y tenía gran influencia social, económica, política e intelectual: sus miembros eran los responsables del mantenimiento y funcionamiento de los templos, pero también realizaban otras actividades: eran médicos que curaban a los enfermos, y también magos que interpretaban los sueños.

C

Este pueblo es una civilización aún viva, que ha pasado rápidamente de la época prehistórica a la moderna. Sus antecesores vivían en zonas muy frías, por eso no disponían de muchos recursos naturales; por ejemplo, no tenían madera.

No conocían la escritura, pero su cultura era una de las más ricas culturas prehistóricas: construían casas de hielo, fabricaban canoas y tiendas de piel de reno para el verano, podían andar fácilmente por la nieve gracias a sus botas impermeables y se protegían del sol con unas gafas de hueso...

Aunque no tenían caballos ni carros, viajaban en unos trineos tirados por perros, un medio de transporte muy particular para desplazarse por la nieve. Se alimentaban fundamentalmente de los animales que cazaban y pescaban. Creían en unos dioses que controlaban la caza y la pesca, al igual que la salud y la vida de las personas. También creían que todos los elementos de la naturaleza tenían un alma como las personas.

Se llamaban a sí mismos "inuit", es decir, "los hombres", aunque la civilización occidental los conoce por otro nombre. Vivían en comunidades pequeñas, agrupados por familias, sin jefes ni jerarquía.

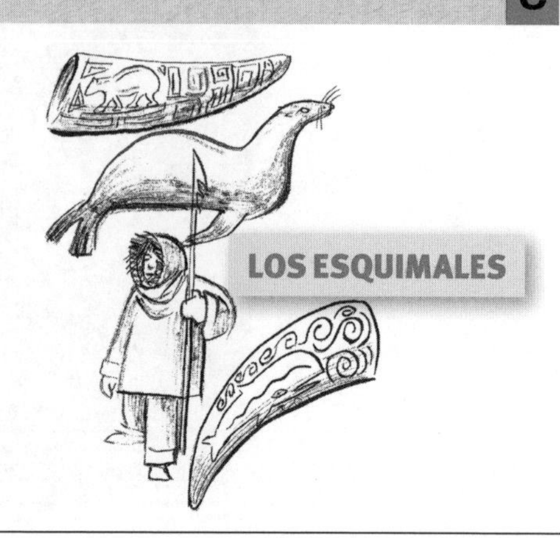

B. Ahora, subraya todos los verbos que están en pretérito imperfecto y escribe sus formas de infinitivo.

vivían ——→ vivir

5 En mis tiempos... LA 3

El abuelo de Lucía siempre recuerda que las cosas eran muy diferentes cuando él era joven.
¿Cómo crees que eran estas cosas entonces? Completa las frases.

1. Ahora los niños están todo el día con el ordenador. En mis tiempos los niños siempre jugaban en la calle con sus amigos
2. Ahora las casas son muy caras. En mis tiempos ....
3. Ahora hay muchos jóvenes en paro. En mis tiempos ....
4. Ahora se divorcian muchas parejas. En mis tiempos ....
5. Ahora la ciudad está llena de coches. En mis tiempos ....
6. Ahora todo el mundo tiene teléfono móvil. En mis tiempos ....
7. Ahora los jóvenes se independizan muy tarde. En mis tiempos ....
8. Ahora mucha gente estudia en la universidad. En mis tiempos ....

6 Cambios LA 3

A. Enrique ha cambiado bastante a lo largo de su vida. ¿Puedes escribir algunas de las diferencias que ves en las imágenes?

Antes llevaba barba y ahora no.

B. Ahora, piensa en varias cosas que han cambiado en tu vida y escríbelas.

Cuando era más joven fumaba, pero ahora no fumo.

7 Objetos que han cambiado nuestra vida LA 3

A. Algunos de los objetos que usamos en nuestra vida cotidiana no existían hace tiempo. Piensa en tres importantes para ti. Después escribe cómo era la vida sin ellos.

B. En grupos, cada uno lee su descripción sobre el objeto sin decir el nombre. Los compañeros deben adivinar de qué se trata.

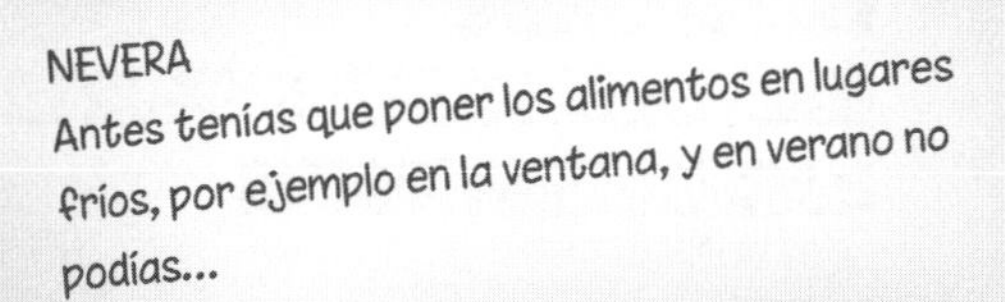

8 Momentos inolvidables LA 3D

Tomás describe uno de los momentos más importantes de su vida. Subraya los verbos y coloca en la tabla los que utiliza para hablar de las circunstancias o descripciones y los que usa para narrar qué ocurrió.

CIRCUNSTANCIAS	HECHOS
....	....
....	....
....	....
....	....
....	....
....	....
....	....

Para mí, el momento más importante de mi vida fue cuando nació a mi primera hija, Alba. Mi mujer y yo vivíamos en Barcelona y nuestra familia estaba lejos, en Cáceres. Estábamos muy ilusionados, pero también muy nerviosos. A las cinco de la mañana mi mujer me despertó y llamamos a un taxi para ir al hospital porque no teníamos coche. Todo fue muy rápido, a las siete de la mañana tenía a mi hija en brazos y ya no estaba nervioso. Solo me sentía muy feliz.

9 ¿Cómo se conocieron? 

71-73

A. Vas a escuchar a tres personas que cuentan cómo conocieron a su actual pareja. Escucha lo que dicen y marca debajo de cada imagen el número de la historia.

☐

....
....
....

☐

....
....
....

☐

....
....
....

B. Escucha ahora las tres historias otra vez y escribe estas frases debajo de la imagen correspondiente.

- De pequeños, eran vecinos y jugaban juntos.
- Él sabía que ella hacía teatro.
- Él tenía un perro.
- Él era el sobrino del profesor de ella.
- Él y ella estaban bailando.
- Ella un día estaba regando las plantas.
- Él estaba en un grupo de teatro y necesitaban una chica.
- Después de la fiesta fueron paseando hasta el hotel.
- Estudiaban juntos en el mismo instituto.

C. Piensa en cómo conociste tú a alguna de las personas de tu vida y cuéntaselo a tus compañeros.

10 Nunca olvidaré cuando... LA 4

Piensa en uno de los momentos más importantes de tu vida y escribe un texto contando qué pasó, cuándo fue y cuáles eran las circunstancias.

Uno de los momentos más importantes de mi vida fue...

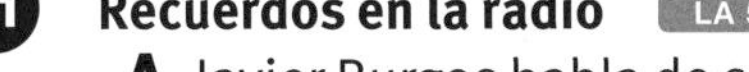

11 Recuerdos en la radio LA 5

74

A. Javier Burgos habla de sus recuerdos. Toma nota de lo que dice y del año en que sucedió.

RECUERDOS	AÑO
....	....
....	....
....	....
....	....
....	....

B. Una de las cosas que más recuerda Javier es cuándo vio el plástico por primera vez. Vuelve a escuchar la entrevista y anota la información relacionada con lo que rodea a ese momento.

12 ¿Cómo era la vida en tu infancia? LA 6

A. Haz una lista de todas las cosas que no existían en tu infancia. Después escribe algunas frases explicándolo.

En las casas (no) había... Por eso...
las ciudades teníamos...
los pueblos ...
las escuelas

B. Comenta con tus compañeros lo que has escrito. ¿Había las mismas cosas en vuestras infancias?

- *Cuando yo era niño, no había teléfonos móviles.*
- *Cuando yo era niña, tampoco.*

13 Hace siete años 

¿Cómo era tu vida hace siete años? Escribe un pequeño texto explicando cómo era un día normal para ti. ¿Ha cambiado mucho tu rutina?

Hace siete años...

14 Vida de artista LA 8

Inventa los datos que faltan de la biografía de esta estrella del pop imaginaria.

Paz nació en 1958 en un pueblecito de La Mancha.
En aquella época en España ....
.... Pepe Candel,
su padre, trabajaba en el campo. La vida en el
pueblo ....
Por eso, Pepe y su mujer decidieron irse a Bélgica.
Entonces ....
Paz tenía en aquel momento dos años y ....
.... Cuando tenía solo
siete años participó en un concurso de la radio y
..............................;
a los 21 ....
Así que dejó los estudios y empezó a ....
....
Decidió volver a España y se puso a ....
.... La productora
discográfica "Chinchinpum" se fijó en ella y grabó
su primer disco, que fue ....
Muy pronto ocupó el número 1 en todas las listas
de ventas. Entonces fue cuando ....
.... Desde esa época, ...
....
Actualmente ....
....

15 Biógrafos por un día LA 8

A. Imagina que tienes que entrevistar a un compañero para escribir su biografía, las cosas importantes que le han ocurrido y sus circunstancias. Prepara las preguntas para la entrevista.

B. Ahora entrevista a tu compañero y escribe su biografía. Podéis grabar la entrevista para no olvidar información importante.

16 Mi personaje conocido LA 9

Piensa en algún personaje importante de tu país y prepara una pequeña presentación escrita y oral sobre él o ella. Puedes contar qué cosas ha hecho o hizo para ser importante, cómo es o cómo era su personalidad y su vida, etc. También puedes buscar información curiosa, usar fotos, fragmentos de sus obras, etc.

17 Macondo LA 10

A. Vas a leer el primer fragmento de *Cien años de soledad*, la novela de Gabriel García Márquez. ¿Cuáles de las siguientes ilustraciones se corresponden con el texto? ¿Con qué parte del texto las puedes relacionar?

"Muchos años después, frente al pelotón de fusilamiento, el coronel Aureliano Buendía había de recordar aquella tarde remota en que su padre lo llevó a conocer el hielo. Macondo era entonces una aldea de 20 casas de barro y cañabrava construidas a la orilla de un río de aguas diáfanas que se precipitaban por un lecho de piedras pulidas, blancas y enormes como huevos prehistóricos. El mundo era tan reciente, que muchas cosas carecían de nombre, y para mencionarlas había que señalarlas con el dedo."

B. Ahora elige una de las imágenes y describe todos los detalles que puedas.

En esta ilustración hay...

ASÍ PUEDES APRENDER MEJOR

18 75-77

Lo realmente importante

Escucha estos párrafos. Fíjate en la entonación. ¿Dónde crees que está la información o informaciones principales?¿Dónde los detalles? Márcalo como en el ejemplo.

1

Estaba muy cansado, me dolía la cabeza, tenía mucho trabajo...

Decidí quedarme en casa.

2

Todo el mundo corría, nadie sabía qué hacer, había mucho ruido... De pronto vi a Jaime. Subí en su coche y salimos corriendo. Luego, en la autopista, otra vez: controles de policía, atascos de coches, todo el mundo hacía sonar el claxon... Llegamos a casa cansados y nos fuimos a dormir sin cenar.

3

No tenía noticias de él desde hacía varios días, no me escribía, no me llamaba, yo llamaba a su casa pero nadie respondía, otras veces tenía puesto el contestador automático pero luego no me devolvía la llamada: cogí el tren y fui a verlo. Lo encontré bastante deprimido. Estuvimos juntos aquel fin de semana y me explicó sus problemas: ya sabes, lo de su padre, lo de su novia... Hice lo que pude por ayudarle.

Cuando escuches, fíjate en lo que dicen, pero también en cómo lo dicen: el ritmo y la entonación de las frases te indican qué es lo realmente importante y qué son solo detalles.

AUTOEVALUACIÓN

EN GENERAL				
Mi participación en clase				
Mi trabajo en casa				
Mis progresos en español				
Mis dificultades				

Y EN PARTICULAR					
Gramática					
Vocabulario					
Fonética y pronunciación					
Lectura					
Audición					
Escritura					
Cultura					
Expresión oral					

DIARIO PERSONAL

Ya hemos terminado GENTE HOY 1, y he aprendido .... Del ámbito de la vida y costumbres del mundo hispano me han interesado especialmente estos aspectos: .... En mi propia lengua puedo encontrar más información sobre estos temas: en una biblioteca o en las revistas y en los periódicos. También puedo obtener información en español hablando con personas o leyendo textos; en mi ciudad tengo estas posibilidades: .... También he aprendido a aprender mejor. (He aplicado alguno de los trucos, por ejemplo:... / No he aplicado ninguno, porque / y / pero...) .... Ahora mis objetivos son ....

ESTE ES JAIME.
Y ESTOS, SUS AMIGOS: MARTHA, EDUARDO Y UWE.
VAN DE VACACIONES A ESPAÑA.
!
ADUANA
FRANCE
MOC
6 HORAS DESPUÉS...
¿Eso es un camping?
Mira, un camping.
Sí, creo que sí... Sí, mira...

ES EL CAMPING MEDITERRÁNEO, A 3 KM DE BENISOL. BENISOL ES UN PUEBLO EN LA COSTA MEDITERRÁNEA, UN TÍPICO PUEBLO TURÍSTICO.
BENISOL
CAMPING MEDITERRÁNEO

EN LA RECEPCIÓN DEL CAMPING...
¿Cuántas personas? ¿Cuántos son?
Wie viel...?
Yo... no... hablo español... Sorry, I don't speak Spanish... Je ne parle pas...
Cuatro, cuatro personas y...

...y un "cato".
Un gato, un ggggato, con ge...
Sófocles.

¿CÓMO?
El gato... El gato se llama Sófocles.

Ah, ah, el gato... ¿Tienda, caravana o autocaravana?
Una autocaravana y una tienda.
¿Nombre...?
Jaime Stein... Ese, te, e, i, ene.
¿Jaime?
ANARIAS

Sí, Jaime, en español... Soy alemán pero de origen español. Mi madre es española...

¿Segundo apellido?
No tengo.
Sí, claro, claro.
¿Su pasaporte, por favor?
Sí.
Gracias. ¿Puede rellenar esta ficha, por favor?

NOMBRE: Jaime
APELLIDOS: Stein
NACIONALIDAD: alemana
EDAD: 29
DIRECCION: 11, Pütrichstrasse, MÚNICH
TELÉFONO: +49 89 3445211
N.º DE PERSONAS: 4
VEHÍCULO: autocaravana
MATRÍCULA: M UA 3221
ESTANCIA DESDE: 25 de julio
HASTA: ...
PLAZA: 216

EN EL CAMPING MEDITERRÁNEO TRABAJA BASTANTE GENTE.
RECEPCIÓN
¡ZZZZzzz...!

ALBA ES BIÓLOGA, PERO ESTÁ EN EL PARO. AHORA ESTÁ PREPARANDO SU TESIS DOCTORAL Y TRABAJA EN EL CAMPING DE SU TÍO ANTONIO, PARA GANAR ALGO DE DINERO Y AYUDARLE. TIENE 26 AÑOS Y ES SOLTERA. Y, COMO VERÉIS, ES UNA MUJER VALIENTE Y CON MUCHA PERSONALIDAD.
A ver... un poquito de alcohol...
Glups...
ANTONIO GAVIRIA, EL TÍO DE ALBA, TIENE UNOS 65 AÑOS. ES EL PROPIETARIO DEL CAMPING. ES UNA EXCELENTE PERSONA: AYUDA SIEMPRE A TODO EL MUNDO, ES HONRADO Y SINCERO. EN RESUMEN, UNA BUENA PERSONA. POR ESO, QUIZÁ, NO ES MUY BUENO EN LOS NEGOCIOS. ES VIUDO Y VIVE CON ALBA EN UNA CASITA, EN EL MISMO CAMPING. ES MUY AFICIONADO A LA JARDINERÍA. CULTIVA ORQUÍDEAS.
¡Qué bonita!

JOSÉ LUIS IBARRA ES EL DIRECTOR. TIENE CUARENTA Y CINCO AÑOS, ES SOLTERO Y VIVE EN BENISOL DESDE HACE UN AÑO. TIENE UN MÁSTER EN HOSTELERÍA, HABLA INGLÉS MUY BIEN Y VIVE PEGADO A SU MÓVIL. AH, Y ES MUY AFICIONADO AL DINERO.

LAS RELACIONES DE JOSÉ LUIS CON ALBA NO SON FÁCILES. NO TIENEN NI LAS MISMAS IDEAS NI LOS MISMOS GUSTOS.

TAMBIÉN TRABAJAN EN EL CAMPING TODAS ESTAS PERSONAS...

MANOLO, EL DEL BAR, Y CONCHA, SU MUJER.

ENRIQUETA, QUE TRABAJA EN EL SUPERMERCADO, Y SU HIJO, NANI. ENRIQUETA ES UNA MUJER FANTÁSTICA.

MARIO ES EL COCINERO, ESPECIALISTA EN PAELLAS.

Y, NATURALMENTE, TAMBIÉN ESTÁN LOS CLIENTES: LA FAMILIA MARTÍNEZ, POR EJEMPLO, QUE VIENE TODOS LOS VERANOS. SON SIETE: EL PADRE, LA MADRE, CUATRO NIÑOS Y LA ABUELA.
¡Vamos, madre!
Gu, gu, gu...

O LOS JENSEN, UNOS DANESES JUBILADOS, QUE VIVEN SEIS MESES EN COPENHAGUE Y SEIS MESES EN BENISOL.
Vamos a la playa, Óscar.
O LA SEÑORA BIBIANA, SU PERRO CHICHI Y EL SEÑOR ÓSCAR, CLIENTES DESDE 1986.
HOY HAN LLEGADO CUATRO NUEVOS CLIENTES: JAIME Y SUS AMIGOS.
¿Esto qué es?

JAIME ES ARQUITECTO. TIENE 31 AÑOS Y VIVE EN MÚNICH. SU MADRE ES ESPAÑOLA PERO VIVE EN ALEMANIA DESDE LOS AÑOS 70. EMIGRANTE, COMO MUCHOS ESPAÑOLES. POR ESO JAIME HABLA MUY BIEN ESPAÑOL. MEJOR DICHO, HABLA UN ESPAÑOL PERFECTO.
ES MUY AFICIONADO A LA NATURALEZA Y A LA MÚSICA, AL JAZZ, ESPECIALMENTE. TOCA EL CLARINETE BASTANTE BIEN. ESTÁ SEPARADO Y, ÚLTIMAMENTE, ESTÁ UN POCO DEPRIMIDO. SE SIENTE SOLO. POR ESO ESTÁ AQUÍ, DE VACACIONES, EN LA COSTA ESPAÑOLA, CON TRES AMIGOS: MARTHA, EDUARDO Y UWE.

EDUARDO ES ARGENTINO. TIENE 36 AÑOS Y TAMBIÉN ES ARQUITECTO. ÉL Y JAIME TRABAJAN EN EL MISMO ESTUDIO DE ARQUITECTURA. EN SU TIEMPO LIBRE, EDUARDO ESCRIBE CUENTOS Y CANCIONES. SON UNOS TEXTOS MUY BUENOS, PIENSA JAIME.

UWE TRABAJA EN UN PERIÓDICO. ES DIBUJANTE. VIVE SOLO. BUENO, CON SÓFOCLES, SU GATO. ES TRANQUILO, SOCIABLE Y ALEGRE. NO ESTÁ CASADO, PERO QUIERE CASARSE. CASARSE ES SU PROBLEMA: ENCONTRAR A LA MUJER DE SU VIDA. AHORA QUIERE ENCONTRAR NOVIA EN ESPAÑA. PERO NO HABLA CASI NADA DE ESPAÑOL...

EDUARDO VIVE CON MARTHA. MARTHA ES HOLANDESA Y PROFESORA DE FRANCÉS, PERO HABLA MUY BIEN ESPAÑOL. ESTÁ DIVORCIADA Y TIENE UNA HIJA DE TRECE AÑOS: EVA. NORMALMENTE EVA VIVE CON MARTHA Y EDUARDO, PERO AHORA ESTÁ DE VACACIONES CON SU PADRE EN GRECIA.

CAPÍTULO 3

La familia Martínez empieza hoy sus vacaciones en el Camping Mediterráneo. Cada año pasan sus vacaciones en Benisol. Ahora están en la recepción el señor y la señora Martínez, los cuatro niños –Carlitos, Jesusito, Silvia y el bebé– y la abuela, doña Engracia. Hablan con Ibarra, el director.

MARTÍNEZ No, no, no... Ni hablar... La plaza 54, no. No quiero estar al lado del bar, hay mucho ruido...
DOÑA ENGRACIA Yo tampoco.
CARLITOS Yo tampoco.
JESUSITO Ni yo...
SILVIA Pues yo sí...
IBARRA Pues no tenemos nada más, lo siento...
MARTÍNEZ ¿Cómo? ¿Cómo dice usted? Vengo a este camping todos los veranos, tengo una plaza reservada desde marzo... Y usted quiere darme una plaza entre el bar y los servicios... ¡Muy bien, muy bien...! Quiero hablar con el director...
IBARRA Yo soy el director. Y no hay más plazas libres. El camping está completo. Lo siento...

A Ibarra le gusta sentirse importante. Le gusta la frase "yo soy el director".

ALBA Perdona, José Luis, creo que... Bueno, creo que tenemos tres plazas cerca de la playa...
MARTÍNEZ ¡Quiero una plaza cerca de la playa! Como todos los veranos...
DOÑA ENGRACIA Sí señor. Bien dicho, hijo mío... Queremos hablar con el director.

La abuela de los Martínez no oye muy bien.

CARLITOS El director es él, abuela...
IBARRA ¿Cuántas plazas? ¿Y dónde?
ALBA La 35, la 29 y la 101...
IBARRA Bueno, pues, la 35 o la 29...
JESUSITO Yo prefiero la 101. Está cerca de la piscina...

Todos los días hay problemas así. Alba cree que Ibarra no trabaja bien y que es antipático con los clientes. A Alba le gusta ser amable con la gente. Pero a su tío Antonio, el propietario del camping, Ibarra le gusta.

El Camping Mediterráneo es un lugar agradable. Está en una playa turística pero bastante tranquila. Hay muchos pinos y el clima es fantástico. De junio a septiembre no llueve casi nada. Al lado del mar tampoco hace demasiado calor. Por suerte, cerca del camping no hay muchas casas. Hay, sobre todo, campos de naranjos, que en primavera se llenan de flores blancas y de naranjas.

El pueblo, Benisol, está a 3 kilómetros y la carretera termina en el camping. Al lado del camping hay una zona muy interesante desde el punto de vista ecológico. Es una zona muy húmeda donde paran muchas aves, en sus viajes hacia África y hacia el norte de Europa. En particular, el avetoro, un ave protegida.

Es un lugar fantástico y eso es un problema: el camping interesa a mucha gente. Por ejemplo, a Duque, un conocido hombre de negocios de Benisol. Dicen que Duque tiene relaciones con la mafia.

Duque quiere construir en Benisol un centro de vacaciones. Tiene ya siete hectáreas junto a la playa. Y ahora quiere comprar el Camping Mediterráneo. Pero Antonio, el propietario, no quiere venderlo. Además, el Ayuntamiento de Benisol no quiere más apartamentos en esa zona. Es una región muy importante ecológicamente y con bastantes problemas ambientales.

Naturalmente, Vicente Gil, el alcalde, y Duque, el constructor, no son muy amigos.

Hoy están con Duque en su oficina Jacinto Cano, el arquitecto, y Omedes, su socio. Hablan del nuevo complejo turístico de Benisol y estudian el proyecto.

DUQUE Aquí las piscinas, el restaurante y la discoteca... Y entre el edificio A y el B, tres pistas de tenis y un minigolf. Aquí el centro comercial...
JACINTO CANO En total, 415 apartamentos, 35 *bungalows*... Y el hotel, claro: un hotel de 200 habitaciones.
DUQUE: Pero esos dos estúpidos...
JACINTO CANO ¿Quiénes?
OMEDES El propietario del camping, Antonio, y el alcalde... Pero tenemos un buen amigo en el Camping Mediterráneo...
JACINTO CANO ¿Quién? ¿Ibarra?
DUQUE Claro, Ibarra, el director. Necesitamos un nuevo director en el hotel, ¿no?

***

Mientras, Jaime y sus amigos están en el bar del camping tomando una cerveza y organizando sus vacaciones.

JAIME Mira, hay un castillo del siglo XIII, aquí cerca, a 5 km.
EDUARDO Sí, hay muchas cosas interesantes en esta región. Varias iglesias románicas, castillos, pueblos típicos...
JAIME Sí, está bien... Playa, montaña, monumentos... Y estamos cerca de Valencia y de Barcelona.
MARTHA Uy, uy, uy... Yo quiero descansar, tomar el sol, bañarme, leer novelas, escribir mensajes y colgar fotos en internet para dar envidia a mis amigos... ¡Unas vacaciones tranquilas!
JAIME Bueno, a mí la playa no me gusta mucho, ya sabes... Además, ¿no te interesa la historia, la cultura, conocer las costumbres de los españoles...? A ti te gusta mucho la pintura...
MARTHA Sí, me interesa mucho el arte pero quiero descansar... Tú visitas ciudades, monumentos y museos... Y yo me voy a la playa, a leer novelas. Tengo dos novelas policíacas muy buenas. Por cierto, una es de un autor español, de Vázquez Montalbán.
EDUARDO A mí también me interesa conocer un poco la región.
JAIME Bueno, pues tú y yo hacemos alguna excursión...
MARTHA Por mí no hay problema.
EDUARDO ¿Tú qué prefieres ver? ¿Barcelona o Valencia?
JAIME Pues no sé... ¿Y a ti? ¿Qué te interesa visitar?
EDUARDO Yo prefiero ir a Valencia. Está más cerca, ¿no? Barcelona está un poco lejos...

En ese momento, Alba, la recepcionista, pasa al lado de los nuevos clientes y les da más información.
ALBA Sí, Barcelona está un poquito más lejos. Unas dos horas en coche. Pero las dos ciudades son muy interesantes... En Barcelona: Picasso, Miró, Gaudí, buenos conciertos ahora en

verano... Y en Valencia hay muchas cosas para visitar también: un museo de arte contemporáneo importante, edificios góticos y palacios renacentistas... Un mercado modernista... ¡Y mucho ambiente por la noche!

JAIME Gracias por la información.

ALBA De nada. Bueno, adiós, que tengo mucho trabajo.

Alba vuelve a la recepción y Jaime y sus amigos siguen haciendo planes.

JAIME ¿No te interesa ver la obra de Gaudí?

EDUARDO Sí, claro.

MARTHA Yo, mañana, me voy a la playa.

EDUARDO Tranquila... Mañana no vamos a salir del camping. Todos estamos cansados del viaje. Yo, por ejemplo, ahora me voy dormir una siesta.

JAIME Mañana hay un concierto de "Los Terribles".

MARTHA: ¿Qué?

JAIME Sí, hay un concierto, aquí en el camping, aquí en el bar. Mira...

A Jaime, en realidad, no le gustan este tipo de vacaciones. Él prefiere conocer otras culturas, viajar a grandes ciudades: Nueva York, Sídney, Hong Kong... Pero este verano no quería estar solo. Ha preferido estar con sus mejores amigos, Eduardo, Martha y Uwe, y hacer unas típicas vacaciones en la costa mediterránea: tomar el sol, comer mucho, dormir...

Por la tarde, va un rato solo a la playa. Pasea un poco y se sienta en la arena. Empieza a tener dudas: ¿ha sido una buena idea aceptar el plan de sus amigos?

"¿Qué hago yo aquí? No me gusta el verano, ni la playa, ni los sitios turísticos... No me gusta bañarme y aquí hace calor... ¡Me pican los mosquitos y me quemo si tomo el sol! ¡Buffff...!", piensa Jaime. "Y voy a pasar 15 días en este camping... ¡Qué vacaciones! ¡Qué horror!"

Alba también va a la playa por la tarde. A las ocho cada día tiene una hora libre y, de ocho a nueve, corre por la playa. Corre siempre que puede, porque es muy aficionada al deporte. Hoy corre cerca de donde está Jaime. Al pasar a su lado Alba pierde la cinta del pelo. Jaime la recoge para devolvérsela. La llama pero ella no le oye y sigue corriendo. Él piensa: una mujer muy interesante...

Jaime y sus amigos están organizando su vida en el camping. Tienen que ir de compras.

JAIME ¿Vamos al supermercado del camping o al pueblo?
MARTHA El supermercado del camping está bien... Necesitamos pilas para la radio, papel higiénico, detergente para la vajilla y para la ropa, agua mineral, pan...
UWE Y... ¡cerveza!

Uwe ya sabe muchas palabras en español: "hola", "perdón", "buenos días", "cerveza", "sangría" y, naturalmente, "gato".

EDUARDO ¿Vamos de compras tú y yo, Jaime?
JAIME Vale. Yo también necesito varias cosas. ¿Tiene comida Sófocles?
MARTHA No, no mucha... ¿Compráis una bolsa?
EDUARDO Sí.
MARTHA ¿Hay un quiosco en el camping?
JAIME No sé. ¿Por qué?
MARTHA A ver si puedes comprar un periódico holandés.
EDUARDO Creo que en el supermercado venden periódicos.
MARTHA Si no, en el pueblo...
EDUARDO: Y creo que Uwe necesita un nuevo diccionario.
JAIME Sí, ¡ja, ja, ja!

Jaime y Eduardo van al supermercado del camping. Jaime quiere comprarse un bañador. Va a la sección de artículos de playa y coge uno rojo, verde y amarillo, con palmeras y flores.

JAIME Eduardo, ¿te gusta este bañador?
EDUARDO ¿Para ti? ¡Ja, ja, ja! No, no me gusta nada. Tú necesitas uno más serio.
JAIME ¿Y este otro?
EDUARDO Este es demasiado clásico.

Jaime quiere estar guapo esta tarde en la playa. Por eso se compra un nuevo bañador. Quizás Alba, esa mujer tan interesante que trabaja en el camping, va a correr. Él todavía tiene su cinta del pelo. Hoy quizá pueda dársela y hablar un poco con ella. Finalmente, Jaime y Eduardo compran varias cosas. Entre ellas, un bañador de palmeras. Van a la caja a pagar.

EDUARDO ¿Tienen pilas?
CAJERA Sí, ¿cómo estas?
EDUARDO Sí, dos paquetes.
CAJERA Aquí tiene.
EDUARDO ¿Cuánto es?
CAJERA 8 euros.
JAIME Pues yo me llevo este bañador. A mí me gusta... ¿Cuánto vale?
CAJERA A ver... 24 euros.
JAIME Vale, me lo quedo.

***

Al cabo de un rato, los dos amigos vuelven con las bolsas del supermercado a la autocaravana. Uwe señala la bolsa de la comida de gato y pregunta...

UWE ¿Comida de... perro?
EDUARDO De gato, ga-to. Sófocles es un gaaa-to...
JAIME ¿Ves? Necesita un nuevo diccionario... ¡No se lo hemos comprado...!
MARTHA No. Uwe ha dicho "perro", "perro". Y quiere decir "perro". Tiene un nuevo amigo.

Y es verdad: Uwe ha encontrado un perro abandonado.

EDUARDO ¡Dios mío! Lo que faltaba... ¿Cómo se llama? ¿Eurípides?
MARTHA No... Sócrates.
UWE Bonito, ¿no? Y es muy bueno...

***

En otro lugar, no muy lejos, también hablan de compras, de otro tipo de compras, en la oficina de Duque. Duque y sus socios hablan de la "operación Camping Mediterráneo".

—Entonces, tú quieres comprarle el camping a Gaviria... –dice Cano, el arquitecto.

—Sí, claro. Pero él no lo quiere vender –responde Duque–. Necesito esos terrenos. Mirad este plano. Yo tengo 7 hectáreas. Pero para construir este complejo turístico, se necesitan unas 11 o 12. Si no, no es económicamente interesante.

—¿Cuánto valen los terrenos? –pregunta Cano.

—¿Los de Gaviria? ¿Un millón de euros? ¿Dos? No sé... El mercado está mal desde 2008... –dice Duque–.

—¿Y no quiere venderlos? ¿No quiere un millón de euros? ¿Prefiere su camping?

—Sí, es un romántico, un viejo loco... –cuenta Omedes.

—¿Y qué podemos hacer? –pregunta Cano, el arquitecto.

—Tranquilos... Yo tengo mis "métodos"... –explica Duque.

—También tenemos otro problema: Vicente Gil, el alcalde... –dice Omedes.

—No hay problema... Le hacemos un regalo. Un buen regalo y ya está. Se compran terrenos, se compran alcaldes...

—¿Tú crees? –pregunta Omedes–. Es un hombre muy serio, muy recto. ¡Ecologista...!

—¿Ecologista? ¿Y qué? Todo el mundo tiene un precio, ¿no? –dice Duque.

Duque no tiene una idea muy buena de la humanidad. Piensa que todo el mundo es como él.

—Le podemos pagar, por ejemplo, su próxima campaña electoral –sugiere el constructor a sus socios–. Hay elecciones en octubre, ¿no?

—Los que trabajan en el camping también están organizando compras. Mañana, 28 de julio, es el cumpleaños de Alba (¡27 años!) y quieren regalarle algo.

—¿Qué le compramos? –pregunta Chus.

—¿Unas flores? –dice Pancho.

—No es muy original... –opina Tere.

—No, nada original... ¡Un libro! –dice Mario.

—Siempre le compramos libros –contesta Enriqueta.

Chus tiene una idea.

—¡Ya lo sé! Enriqueta, en la tienda tienes un bañador muy bonito, uno rojo, con palmeras verdes...

—Sí, lo tengo para hombre y para mujer. Acabo de vender uno... Es muy bonito, precioso...

—Pues a Alba le gusta, me lo ha dicho. Quería comprárselo...

—Pues es una buena idea, un bañador. Es un regalo original. ¿Sabemos su talla? –pregunta Tere.

—Es talla única –interviene Enriqueta.

—Ah, perfecto. ¿Y cuánto cuesta? –dice Mario.

—Unos 35 euros, creo. No es caro. Unos cinco euros cada uno...

—Pues le compramos el bañador ese –decide "Chapuzas"–. ¿Y para la fiesta? ¿Qué hacemos? ¿Cómo lo organizamos?

Los compañeros del camping le organizan a Alba una pequeña fiesta de cumpleaños, para después del concierto de "Los Terribles". Es una sorpresa. Alba no sabe nada. Pero no están todos los compañeros. Ibarra no está.

—Yo puedo hacer unas pizzas... –dice Mario, el cocinero.

—Y yo hago un pastel... –añade Enriqueta, la de la tienda–. Un pastel de limón, que a ella le gusta mucho.

—Y yo le hago un dibujo –dice Nani, el hijo de Enriqueta.

—En el bar tenemos las bebidas. ¿Cava y cerveza? –dice Manolo.

—Sí, y zumos... –añade Concha.

—Pero el regalo se lo damos antes, ¿no? –comenta Tere.

—Sí, por la mañana.

Por la tarde, Jaime, con su fantástico bañador nuevo, un libro y la cinta del pelo de Alba, va a la playa. Pero hoy Alba tiene mucho trabajo en la recepción y no va a correr. Además, su tío Antonio está muy preocupado. Tiene problemas. Problemas con Duque. Y necesita hablar con Alba. En su hora libre, Alba va a casa de su tío para hablar un rato con él. Antonio le da a su sobrina, sin decir nada, una hoja de papel.

—Mira esto –dice.

—Dios mío..., ¿qué es esto? –pregunta Alba–. ¿Es de Duque?

—Naturalmente.

—Es muy grave. Gravísimo... ¡Es una amenaza de muerte!

—Sí, sí lo es. Duque es peligroso. Pero yo no quiero vender el camping. ¡No voy a venderlo! No necesito dinero, soy feliz aquí... Y me gusta Benisol tal como es. No quiero ver estas playas con edificios de quince pisos, como Benidorm o Torremolinos. Yo no le regalo el camping a Duque ni a nadie... ¡No, ni hablar...!

—¿Qué podemos hacer? ¿Hablar con la policía?

—No... No tenemos pruebas, no tenemos nada. ¿Esta carta? Bah... Un papel, sin firma... Además, Duque tiene mucho poder. Solo podemos hacer una cosa: resistir.

—No sé, no sé... Tenemos que hacer algo.

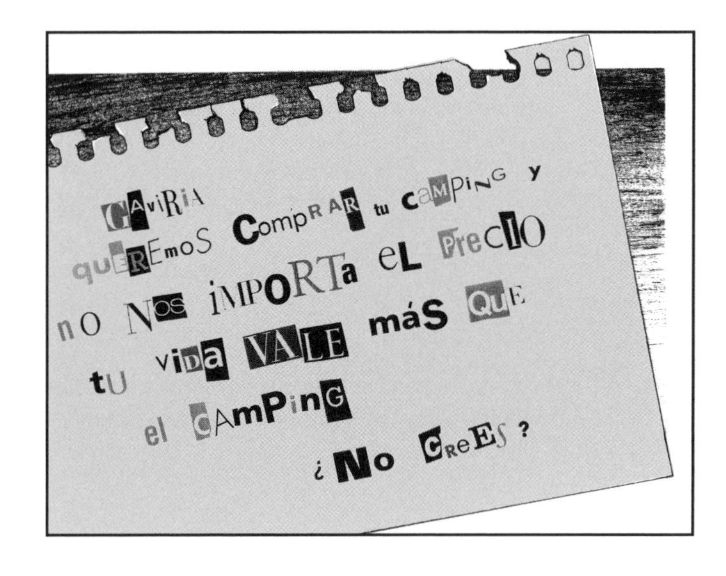

Alba sabe que tiene que actuar, que tiene que ayudar a su tío. Pero no sabe cómo. ¿Quién puede ayudarla?

En el Camping Mediterráneo se organizan muchas cosas: conciertos, fiestas, actividades deportivas..., o por ejemplo, aeróbic. Un profesor da una hora de clase todos los días a los clientes del camping. Uwe, el amigo de Eduardo, quiere hacer deporte este verano.

—Eso no es bueno para la salud. Hace demasiado calor... No es bueno para el corazón... –le dice Eduardo a Jaime. Los dos están en el bar y miran como salta su compañero Uwe.

—Es que a ti no te gusta el deporte... Uwe quiere adelgazar –responde Jaime.

—Claro, quiere estar guapo y encontrar novia...

—Pues yo también quiero hacer un poco de deporte estas vacaciones –comenta Jaime.

—¿Tú? ¿Deporte? ¿Qué deporte? Si tú nunca haces deporte...

—Quiero correr, correr un poco por la playa y nadar. Quiero estar en forma... No estoy muy bien.

—Pero si no estás gordo... ¿O es que quieres encontrar novia también tú? Últimamente haces cosas raras, Jaime... Te compras bañadores "tropicales", quieres "estar en forma"... No sé, no sé... A ti te pasa algo... –dice Eduardo extrañado.

—¿A mí? No... Bueno, un poco de estrés, quizá. Y, ya sabes, no llevo una vida muy sana. Cuando vives solo... No tienes horarios regulares, no comes de forma sana... Una pizza, un bocadillo o un yogur de pie en la cocina, sin ni siquiera sentarte.

—Para llevar una vida sana, también es importante otra cosa...

—¿Qué?

—¡El amor, Jaime! ¡El amor...! El equilibrio anímico. La soledad no es buena.

—Sí, ya sé. Pero no es tan fácil encontrar pareja. Cambiando de tema, ¿jugamos un poco al tenis esta tarde? Hay una pista, aquí en el camping.

—Bueno. Pero a las 7 o a las 8 h. Antes hace mucho calor...

—A las 7 h, mejor. A las 8 h tengo que ver a una persona.

—Ajá... ¿Ya tienes amigos en el camping?

Por la tarde Jaime, después de jugar al tenis con Eduardo, va a la playa.

Allí están muchos de los clientes del camping: la señora Bibiana y su marido, que dan todas las tardes un paseo por la playa. El médico dice que tienen que andar mucho, que andar es muy sano.

También están los Jensen, la pareja de jubilados daneses. A ella le gusta pescar y todos los días pesca alguna cosa. Su marido, mientras, lee tranquilamente libros de antropología.

La familia Martínez también va a la playa por las

tardes. Los niños juegan, y el señor Martínez duerme una larga siesta. Martínez es camionero. Se pasa la vida en atascos y trabaja demasiadas horas. En el camping es totalmente feliz: duerme mucho, come mucho y está con su familia. La señora Martínez también descansa. En la playa lee revistas con historias de princesas: los problemas de famosos de la tele o las bodas y los divorcios de los actores de moda. Ella dice que solo en la playa puede descansar un poco. Un ama de casa española, con una familia de siete personas, no tiene una vida muy tranquila. "Nunca se habla del estrés del ama de casa", protesta ella. "Pero yo, por ejemplo, todos los días lavo unos catorce calcetines, pongo la mesa tres veces, hago seis camas, limpio dos cuartos de baño, compro un kilo y medio de pan... Soy chófer, profesora, cocinera, economista, señora de la limpieza, camarera, secretaria... O sea, ama de casa."

Jaime se instala tranquilamente en la playa con su nuevo bañador. Nada un poco, lee un poco el periódico...

Al poco rato, como todos los días, Alba aparece en la playa corriendo. Jaime la ve a lo lejos y la llama... Ya sabe cómo se llama: Alba... ¡Qué bonito nombre! Quiere devolverle su cinta y hablar un poco con ella. "Es realmente una mujer interesante", piensa.

Jaime y Alba llevan el mismo bañador: con muchos colores y palmeras. Los dos bañadores son de la tienda del camping. Jaime se pone rojo. La situación es un poco ridícula, pero divertida.

—Bonito bañador –dice Alba irónica.
—Sí, muy original... –responde él.
—El mío es un regalo de los compañeros del camping. ¡Hoy es mi cumpleaños!
—¡Felicidades! ¿Cuántos?
—27.
—Mira, tengo esto... Es tuyo, ¿no? –Jaime le da su cinta.
—Oh, gracias...

Los dos hablan un poco y Alba se sienta un rato en la arena, al lado de su nuevo amigo.

—¿Haces mucho deporte? –pregunta Jaime.
—No, no mucho... Un poco, por las tardes. No tengo mucho tiempo.
—¿Trabajas muchas horas en el camping?
—¿Muchas? Bufff... Todos los días, unas doce o trece horas. Somos pocos en el camping y tenemos que trabajar duro. ¿Y tú? ¿A qué te dedicas?
—Yo soy arquitecto.
—¿Arquitecto? Mala gente –dice Alba.
—¿Mala gente? ¿Por qué somos mala gente los arquitectos?
—Bueno, no todos. Nosotros, aquí en el camping, tenemos problemas con un arquitecto. Y especialmente con un constructor y su arquitecto.
—Ah, sí... ¿Qué problemas?

Alba necesita hablar, necesita contarle a alguien el problema de su tío. Y Jaime la escucha.

—Un constructor de Benisol, Duque se llama, quiere comprar el camping. Es un hombre con mucho poder. Peligroso. Quiere construir, especular... Como siempre pasa en la costa española. Ya sabes: Benidorm, Torremolinos, Marbella, Baleares...
—Sí, edificios y más edificios...
—Mi tío es el propietario del camping –añade Alba.
—Ah, no sabía...
—Y no quiere venderlo. Le gusta vivir aquí: el camping es su vida. Además, no quiere ver Benisol destruido. Esta zona tiene mucho valor ecológico. Hay un parque natural, ¿sabes?
—Ah... ¿sí?
—Sí, aquí cerca hay marismas, una zona muy húmeda, donde paran muchas aves que vienen de África a Europa.
—¡Qué interesante!
—En concreto hay una especie protegida, el avetoro... Y si encima construyen un complejo turístico...
—¿Te interesan estos temas?
—Mucho. Soy bióloga.
—¿Bióloga?
—Sí, pero es muy difícil encontrar trabajo. En verano trabajo aquí. Además, ahora estoy preparando la tesis. Sobre un tema de ecología marina, precisamente... ¡Uy, me tengo que ir! Son las ocho y media...

Jaime es muy tímido pero, en el último momento, dice:

—¡Qué pena...! Todo esto es muy interesante. Los turistas, a veces, no sabemos mucho sobre el país donde estamos y sus problemas... ¿Tomamos una copa luego?

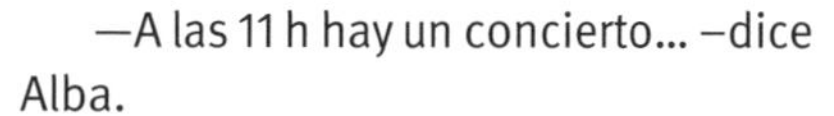

Alba duda un poco (¡trabaja tantas horas!). Pero acepta: es importante sentirse bien con una persona. Y con este hombre se siente bien. Últimamente se siente sola. Necesita hablar.

—A las 11 h hay un concierto... –dice Alba.
—¿Donde?
—En el bar.
—¿Nos vemos allí? –propone Jaime.

"Es verdaderamente una mujer atractiva", piensa cuando se queda solo. "¡Y qué ojos!", suspira.

***

Cuando Jaime llega a la autocaravana, sus amigos le dicen:
—Te sienta bien hacer deporte... Tienes buena cara.
—Sí, es verdad. ¡Estás guapo! –añade Martha.

Es normal. Para estar guapo, hay que estar contento. Y hoy, Jaime está contento. ¡Tiene una cita con Alba!
Uwe, por su parte, sigue estudiando español.

—A-del-ga-tsar...
—A-del-ga-zzzzar...
—Ya... Adelgazar. Quiero adelgazar... –repite Uwe.
—¡Creo que le gusta una compañera de la clase de aeróbic! –dice Martha muerta de risa.
—Sí... Y la peluquera.
—Ah, ¿sí? ¿También?
—También. Me lo ha dicho.

Por la noche todos van al concierto: los clientes y los empleados del camping.

A las 12 h, Mario, el cocinero, saca un pastel y todos cantan "Cumpleaños feliz".

Es una fiesta muy divertida: españoles y extranjeros bailan hasta las 4 h. Alba le enseña a Jaime a bailar el pasodoble, Uwe practica su español con Chus, la peluquera, y Eduardo se hace amigo del señor Martínez.

"No todo son problemas", piensa Alba, cuando se va a la cama. "Hay gente estupenda en el camping."

Algunos, sin embargo, no han ido a la fiesta: la señora Bibiana y su marido han ido a recepción a protestar por el ruido. Pero en recepción hoy no hay nadie. Ibarra, el director, tampoco está en la fiesta de Alba.

Al día siguiente, los cuatro amigos están sentados junto a la autocaravana de Jaime. Se acerca la hora de comer y todos tienen hambre.

—¿Qué comemos hoy? –pregunta Martha.
—Espaguetis –responde Jaime.
—¿Otra vez?
—Sí, pero hoy con verduras... La pasta es muy sana.
—Sí, pero engorda.
—No, la pasta no engorda. Engordan las salsas... Y hoy voy a hacer pasta vegetariana; con berenjenas, pimientos,

calabacines, tomates, ajo, cebolla, aceitunas... Una receta "mediterránea"... –explica Jaime.

—Mmmmmm.... qué rico –dice Uwe. "Qué rico" es la nueva frase en español de Uwe. Se la ha enseñado Chus, la peluquera.

—¡No, no, no, no...! ¡Hoy no cocinamos! –dice Eduardo.

—¿Por qué?

—Porque mi nuevo amigo, Pepe Martínez, nos ha invitado a comer una paella.

—¿El vecino? –pregunta Jaime.

—Sí, el de esa tienda. Son muy simpáticos.

—Nos han invitado a comer... ¿qué? –pregunta Martha.

—Paella. ¿No has comido nunca paella? El plato más típico de la cocina española. Es un plato valenciano pero se come en toda España. Una paella bien hecha es... es... ¡Una obra de arte!

—Sí, lo sé. Pero yo no he comido nunca una buena paella –dice Martha– Cuéntame..., ¿qué es exactamente "una paella bien hecha"?

—Es arroz con... Bueno, con muchas cosas. Depende. Hay muchas recetas diferentes. Es un plato muy complicado. Un plato "barroco", como dice Manuel Vicent, que es un escritor valenciano. Hay paella de pescado, paella de carne, paella de caracoles...–responde Jaime.

—¿De qué? –pregunta Martha horrorizada.

—De caracoles. Está riquísima. La mejor. ¡Mi madre hace unas paellas de caracoles...! –exclama Jaime entusiasmado.

—Pues yo no voy –dice Martha–. Si lleva caracoles, yo no voy. Bufff... Qué asco...

—Hay paellas muy especiales: arroz negro, que lleva tinta de sepia, arroz con ancas de rana, arroz con rata de agua, arroz con ardillas... Hay cientos de recetas. En el Levante español hay arroces con todo, para todos los gustos –sigue explicando Jaime.

—Ay, qué horror... Calla, calla...

—Tú, tranquila: Martínez hace paella mixta, la más normal, una versión "light", para turistas. Solo lleva marisco, carne y verduras. Y arroz, claro –dice Eduardo.

—¿Seguro? –pregunta Martha todavía preocupada.

—Sí, seguro.

—¿Y la hace él?

—Sí, las paellas, muchas veces, las hacen los hombres.

—Ah, qué bien –dice Martha. La paella ya le parece mejor.

En ese momento pasa Martínez, que ha ido a Benisol a comprar al mercado. Trae una cesta con los ingredientes de la paella. Y los enseña a sus nuevos amigos extranjeros:

—Calamares, mejillones, almejas, gambas y cigalas... Y el pescado, para el caldo.

—¿Caldo? –pregunta Eduardo–. Yo quiero aprender a hacer paella.

—Pues lo primero: para hacer una buena paella, se hace un caldo de pescado... –dice Martínez.

—Yo pensaba que se hacía con agua... –interviene Eduardo.

—No, el arroz se cuece en el caldo. El tiempo de cocción y la cantidad de caldo son lo más importante. Si pones demasiado caldo, no sale bien.

Benisol está en una región donde se hacen muchas paellas. En el Camping Mediterráneo, Mario, el cocinero, las hace muy buenas. Él dice que es "el rey de la paella". Hoy en el restaurante del camping también tienen paella, la especialidad de Mario: paella de pollo, conejo y "garrofons", unas judías blancas especiales.

—Yo no hago paellas para turistas –comenta Mario con desprecio–. Yo soy valenciano y hago paella de verdad. Un madrileño como Martínez no sabe nada de paellas...

Martínez todos los veranos, desde hace años, habla durante diez días de su "famosa" paella.

—A mí, la de Mario, no me gusta –dice Martínez muy serio.

Mario critica todos los veranos "las paellas de los turistas" del Sr. Martínez.

***

A las 2 h Jaime y sus amigos están en la tienda de los Martínez. Pero la paella no está preparada todavía.

—La paella es un plato "colectivo", "social"... –explica Jaime a sus amigos–. Siempre hay que esperar, siempre se come tarde y con mucha hambre.

—¿Te gusta la paella, guapa? –pregunta Maruja, la abuela de los Martínez, a Martha.

—Mmmm... Bueno, no sé... –duda Martha.

La abuela no lo entiende.

—¿Cómo? ¿Cómo que no sabes? Te gusta o no te gusta...

—Es que no he comido nunca... Quiero decir aquí, en España, una paella de verdad.

La pobre abuela está muy sorprendida. No entiende que haya gente en el mundo que no ha comido nunca paella.

—¿Nunca, nunca...? –pregunta otra vez incrédula.

La señora Martínez corta cebollas, pela ajos, ralla tomate...

—¡Bah! Los hombres dicen que ellos hacen la paella pero... –le confiesa a Martha– ellos echan el agua y el arroz. ¡Y luego dicen que la han hecho ellos...!

—Como siempre...

—Cocinar es muy fácil, si alguien te lo prepara todo –añade Maruja Martínez–. Además, luego lo dejan todo sucio por ahí...

Martínez le describe a Eduardo lo que hace.

—¿Ves? Primero echamos los calamares, la sepia, el pollo y el pimiento en el aceite caliente... Aceite de oliva, por supuesto.

—¿Y el tomate?

—No, todavía no. El tomate, luego.

—¿Y las gambas?

—Después, después. Casi al final.

—¿Y cebollas?

—No, yo no pongo cebolla. Hay gente que pone cebolla, pero yo no.

El sofrito huele ya muy bien. Todos tienen un hambre terrible. Los niños Martínez ponen la mesa y toman el aperitivo: patatas, aceitunas, almendras, chorizo...

—¿Cerveza o vino? –pregunta Maruja a sus invitados.

—Tenéis que probar este vino –dice Martínez a sus nuevos

amigos–. Es de nuestro pueblo. Lo hacemos nosotros mismos.

Los Martínez son de un pequeño pueblo de la provincia de Toledo, al sur de Madrid. Tienen todavía la casa de los abuelos, pero viven y trabajan en Madrid.

—La vida en el pueblo es muy dura –explica Martínez a Jaime–. Ya sabes... Tus padres se fueron a Alemania y nosotros, a Madrid. Allí no hay trabajo para todos...

Los fines de semana, la familia Martínez, como muchas familias de origen rural, va al pueblo. Allí conservan las tradiciones: hacen vino, matan el cerdo y hacen embutidos, tienen un huerto y árboles frutales...

—¡Qué vino tan bueno! –dice Eduardo.
—Fuerte pero muy bueno –añade Jaime.
—Es que es natural –dice la abuela–. No como el del supermercado, que tiene "mucha química".

La abuela Martínez dice que en Madrid todo tiene "mucha química".

—¿Está bueno el chorizo, hijo? –le pregunta la abuela a Uwe.
—Bueno, muy bueno –contesta Uwe en español.

Con la familia Martínez se aprende mucho español, porque todos hablan mucho. El problema es que, a veces, hablan todos al mismo tiempo.

A las 3 h la paella está casi lista. Pero en ese momento pasa algo terrible.

—Todos a la mesa –dice Martínez orgulloso de su obra.

Ya están todos muertos de hambre.

Chichi, el perro de la señora Bibiana, persigue a Sófocles, el gato de Uwe. Y Sócrates, el nuevo amigo de Uwe, persigue a Chichi. Detrás van Uwe y la señora Bibiana, gritando. Y sucede lo inevitable. ¡Adiós paella! Entre todos tumban la paella.

Media hora después están todos en el restaurante del camping. Martínez repite una y otra vez:

—¡La mejor del verano! ¡Nooooooooo...! ¡La mejor que he hecho en años...!

Mario, el cocinero, lee la carta.

—Hoy tenemos en el menú del día... Paella, la especialidad de la casa –dice orgulloso.

Esta vez Mario ha ganado el concurso de paellas del verano, porque nadie ha podido probar la de Martínez.

CAPÍTULO 7

Ibarra entra en la oficina con una chica. Parece una "Barbie": rubia, alta y delgada, con ropa cara...

—Parece que en la fiestecita de cumpleaños hubo problemas... –le dice Ibarra a Alba.
—¿Problemas?
—Sí, una señora, la del perrito..., ¿cómo se llama?
—La señora Bibiana.
—Eso. Ha venido a protestar por el ruido.

Sin esperar la respuesta de Alba, Ibarra le da la espalda y entra en su despacho con la chica.

—Lo odio –dice Alba entre dientes.
—¿Quién es? –pregunta Milagros, que está limpiando en la recepción. Milagros siempre quiere saber todo lo que pasa en el camping.
—No sé, ni idea –responde Alba–. Milagros, ¿puedes quedarte aquí, en la recepción, un momento? Yo voy a casa. Tres minutos... ¡Voy a buscar una aspirina! Tengo dolor de cabeza... Si viene algún cliente, que espere.
—Tranquila, yo tengo que limpiar todo esto.

—Dentro, Ibarra, el director, está haciendo una entrevista de trabajo a la chica.

—Así que te llamas Lali...
—En realidad Eulalia, Eulalia Omedes, pero todos me llaman Lali, sí.
—Y quieres trabajar en el sector del turismo.
—He estudiado tres años en la Escuela de Turismo y me gustaría...
—Ah, muy bien, muy bien. ¿Idiomas?
—Inglés... regular. Y el francés, lo leo.
—¿Alemán?
—No, alemán no. Lo entiendo un poco... Pero hablar, no. Francamente, no.
—¿Tienes experiencia?
—Bueno, ahora no estoy trabajando... Estoy estudiando alemán... Pero he trabajado en la empresa de mi padre un verano, de secretaria y... Bueno, nada más. En un camping no he trabajado nunca...
—No importa, no importa. Aquí necesitamos alguien como tú, joven, con ganas de trabajar, con buena presencia... Para la recepción. Tienes que hacer un poco de administración, también. ¿Qué tal de informática? ¿Sabes gestionar una web?
—Pues no, la verdad.
—Tu padre me ha dicho que eres muy trabajadora. Y muy inteligente. Ya sabes que tu padre y yo somos buenos amigos...

Naturalmente, Eulalia Omedes es la hija de Omedes, el socio de Duque, el constructor. Ibarra quiere tener buenas relaciones con Omedes. Y Omedes quiere información sobre el camping. Lali de recepcionista en el Camping Mediterráneo les va muy bien a los dos, aunque no sabe nada del camping y no habla idiomas.

"Esto es una mujer", piensa Ibarra. "Y no esa..."

"Esa" es Alba. Ibarra es un auténtico "macho hispánico". Para él las mujeres tienen que ser elegantes, dulces y tontas.

Y hablar poco. Alba, lógicamente, no es su modelo de mujer.

Ibarra le dice después a Eulalia:
—Además, no es para mucho tiempo... Este verano, solamente. Ya sabes que tu papá y Duque construyen un complejo turístico aquí...

Omedes le ha prometido a Ibarra el cargo de director del complejo. Pero Ibarra tiene que ayudarle en una cosa: hundir el Camping Mediterráneo y obligar a Gaviria a venderlo. Son los famosos "métodos" de Duque.

Fuera de la oficina, Milagros escucha toda la conversación. "¿Quéeeeeee? ¿Que cierran el camping?" Milagros no puede creer lo que oye.

Alba entra en la recepción con una caja de aspirinas en la mano. Ve que Milagros tiene una expresión muy rara.

—¿Ha venido algún cliente? –le pregunta–. ¿Te pasa algo, Milagros?
—No, nada, nada... Alba..., ¿te puedo preguntar una cosa?
—Sí, claro. ¿Qué?
—Oye, ¿tú te vas? ¿Has encontrado otro trabajo?
—No, ¿por qué?
—No, por nada...

Milagros no puede tener secretos y Alba lo sabe.

—¿Qué pasa, Milagros?
—Es que... Bueno que... Ibarra está entrevistando a gente para encontrar nueva recepcionista...
—¿Quéeeee?
—Sí, ha venido una chica y han estado hablando...
—¿La "Barbie" esa? –pregunta Alba.
—No, no se llama Barbie. Se llama Eulalia y es la hija de un constructor de Benisol, de un tal Omedes.
—¿La hija de Omedes...? ¡Es el socio de Duque! Gracias, Milagros, gracias por la información... Es una información muy importante para mí.

Alba sale corriendo. Va en busca de su tío.

Antonio Gaviria no sabe nada de Eulalia Omedes. Ibarra no le ha hablado del tema.

—Tranquila, Alba. Tenemos mucho trabajo. José Luis sabe muy bien lo que hace. Y él es el director...
—Tío, no entiendes nada... Esta chica es la hija de Omedes. ¡Es una espía de Duque!
—Niña... Eso son fantasmas...
—¿Fantasmas? Sí, sí... fantasmas.

CAPÍTULO 8

Poco a poco Jaime y Alba se han hecho amigos. Ahora están tomando una cerveza en una terraza en la playa.
Jaime le ha contado la historia de la paella de Martínez.

—¡Pobre Martínez...! Me lo imagino... –comenta ella muerta de la risa.

Luego Alba se queda callada y seria.

—¿Y tú? ¿Qué tal vas? –le pregunta Jaime.
—Mal, bastante mal...
—¿Por qué?
—No sé: la tesis... Trabajo todas las noches hasta las 2 h. Luego me levanto a las 7 h. Los problemas del camping, mis relaciones con el jefe, el director. Ibarra, se llama. Es un imbécil. Además, creo que él... –Alba se calla.
—Que él... ¿qué?
—No sé, no tengo pruebas, pero creo que está del lado de Duque, ya sabes, del constructor.
—¿Tú crees? ¡Pero si Ibarra es el director del camping...!
—Sí, pero... ¿Sabes? Últimamente ha hecho cosas raras. Tiene algún secreto... Y ha contratado una nueva recepcionista.
—¿Y tú?
—No sé. Quiere echarme, supongo. ¿Y sabes quién es la nueva recepcionista?
—No, ¿quién?
—Pues la sobrina de un tal Omedes, un socio de Duque. Va a empezar a trabajar mañana –le cuenta Alba.
—Qué raro... ¿Y qué dice tu tío?
—¡Ay, mi tío! ¡Es tan buena persona! Dice que yo veo fantasmas, que Ibarra es un muy buen director... No sé qué hacer.
—Tengo una idea –dice Jaime.
—¿Qué idea?
—Tengo un amigo en Madrid, Fernando Valcárcel. Es periodista y le interesan mucho los problemas ecológicos. Además, últimamente, ha hecho periodismo de investigación. Trabaja en la tele, en un programa que denuncia problemas ciudadanos, temas sociales...
—Sí, claro.
—Quizá puede venir, investigar y hacer un reportaje. Seguro que el problema de Benisol le interesa.
—Es una idea genial... Pero, ¿crees que va a venir?
—Sí, creo que sí. Si puede, seguro que viene. ¿Qué hora es? Quizá todavía esté en la oficina. Vamos a llamarle.

***

Son las 9 h y Jaime llama a Fernando. Pero su amigo no coge el teléfono y Jaime le deja un mensaje: "Fernando, soy Jaime Stein. Estoy de vacaciones en España. En un pueblo del Levante, en Benisol. Necesito urgentemente hablar contigo. Te voy a llamar más tarde, sobre las 10 h".

"Quizá esté de viaje, trabajando o de vacaciones", piensa preocupado Jaime.
A las 10 h vuelve a llamar. Por suerte, ahora sí responde.

—¿Diga?
—Fernandito, hombre, ¿qué tal estás?
—¡Jaime! ¿Cómo te va? He oído tu mensaje. ¿Qué haces en España?
—Pues mira, aquí, de vacaciones.
—Pero si a ti no te gusta la playa... ¿Qué haces en Levante?
—Pues no sé, la verdad... Estoy con unos amigos. Bueno, no está tan mal. Es un sitio bonito y bastante tranquilo...
—Oye, ¿nos vamos a ver o qué? Yo empiezo las vacaciones pasado mañana.
—Tengo trabajo para ti.
—¿Qué? ¿Trabajo? Ni hablar. Te digo que pasado mañana empiezo las vacaciones. Hoy es 31 de julio, ¿no? ¡¡Vacaciones!!! Que este año he trabajado mucho...
—Pues tengo un caso muy interesante. Un reportaje sobre la especulación inmobiliaria en la costa: métodos mafiosos, amenazas de muerte, etc. Además, es una zona ecológicamente protegida...

—¿Ah, sí? –dice Fernando ya un poco más interesado.

—¡Qué pena! Era un caso para ti, Fernando. Quizá le interese a algún periodista de "El Globo". ¿Qué vas a hacer estas vacaciones?

—Bueno, no tengo un plan muy fijo. Ver a la familia, que está en el norte, en Santander, como todos los veranos. Luego quiero visitar a unos amigos en Galicia...

—Pues nada, hombre: vienes a Benisol, trabajas un par de días y, luego, te quedas de vacaciones con nosotros.

—No me gusta el Mediterráneo. Hay demasiada gente y el mar está demasiado caliente.

—¡Tonterías! Esto de aquí es muy bonito. Claro que no va serlo si construyen 500 apartamentos más...

—Vaaaaale, Jaime, voy. ¡Cuando tú quieres algo...! Dime exactamente dónde está ese maldito pueblo.

—¿En qué vas a venir?

—En moto.

—Perfecto. Mira, esto está a unos 20 kilómetros de Castellón.

—Bueno, lo voy a mirar en un mapa. ¿Me buscas una habitación? Yo, de camping, nada, ¿eh?

—Claro, te busco una habitación en un hotel. ¿De cuántas estrellas?

—Mínimo cuatro, por favor –responde irónicamente Fernando.

—¿Cuándo vas a llegar? ¿Mañana?

—No, mañana no puedo. Imposible. Tengo que dejar unas cosas terminadas en la tele. Pasado mañana, si salgo de aquí a las 8 o a las 9 h, puedo estar en Benisol a la hora de comer. ¿Dónde nos encontramos?

—A ver... Lo más fácil: yo voy ahora a buscarte habitación. Mañana por la tarde te llamo, te digo dónde te vas a alojar y quedamos en tu hotel.

—Perfecto. Hasta mañana.

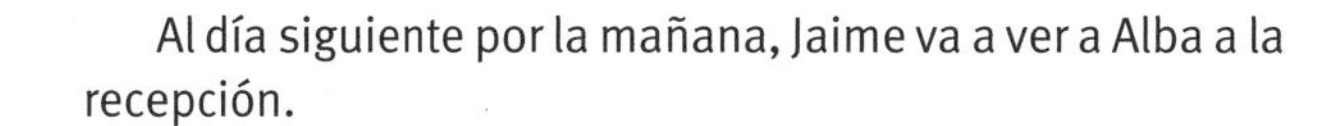

Al día siguiente por la mañana, Jaime va a ver a Alba a la recepción.

—¡Mi amigo el periodista viene mañana! Va a llegar a la hora de comer –dice Jaime al entrar en la recepción.

—¡Qué bien!

—Tenemos que buscarle hotel y llamarle a Madrid.

—No va a ser fácil. Estamos en temporada alta. Voy a llamar al Hotel Azahar... –responde Alba ya marcando–. A ver... Seis, uno, cuatro, ocho, cinco, seis.

—Hotel Azahar, dígame.

—Sí, mira... Soy Alba Gaviria, del Camping Mediterráneo.

—Hola, Alba. Soy Silvia.

—Ah, hola, Silvia, ¿qué tal? No te había reconocido. Quisiera reservar una habitación para un amigo. ¿Tenéis habitaciones libres?

—¿Qué días?

—A partir de mañana. Llega al mediodía.

—Uy, no, lo tengo fatal. Está todo completo. Hasta el día 22 de agosto no tengo nada... Nada de nada. Ni una habitación. Lo siento mucho, chica.

—Bueno, no te preocupes. Oye, ¿qué tal está el Hotel Valencia?

—Dicen que está bien. No es un hotel de lujo, es un tres estrellas, pero no está mal. Tiene piscina y jardín. ¿Tienes el número de teléfono?

—Sí, por aquí lo tengo. Voy a llamar.

—También puedes preguntar en el Hotel La Florida. Es más caro pero está muy bien.

***

Alba llama a cinco hoteles. En agosto todo está completo en Benisol. Finalmente, en el Hostal Rosita, tienen una habitación para Fernando. Es una pensión muy barata en una calle ruidosa del centro de Benisol. La misma Rosita, la propietaria, atiende en la recepción.

—Sí, sí, tenemos una habitación –dice Rosita al teléfono–. Pero no tiene baño.

—No importa, me la reserva –Alba ya está un poco desesperada.

—La pensión completa cuesta 80 euros al día por persona –explica Rosita.

—Solo queremos la habitación. Sin comidas.

—Ah, no. Solo tenemos pensión completa.

—Bueno, pues pensión completa, de acuerdo.

—¿A qué nombre hago la reserva?

—Fernando Valcárcel.

—Vale. Tomo nota, Fernando Valcárcel. ¿Para cuántos días?

—Todavía no lo sé. Una semana o algo así.

Alba cuelga el teléfono y dice:

—¡Por fin! ¡Tenemos una habitación para tu amigo en el Hostal Rosita! Pero no sé si le va a gustar mucho. El Hostal Rosita no es el Hotel Palace. Y está al lado de una discoteca.

—No importa –dice Jaime.

—Yo mañana por la tarde he quedado con Vicente Gil –explica Alba–. Es el alcalde. Es un hombre muy honesto. Quiero hablar de todo esto con él.

—Fenomenal. ¿A qué hora?

—A las ocho.

—Así que mañana no vas a correr.

—No. Tengo que hablar con Gil. Todavía podemos salvar Benisol.

—Sí, no es demasiado tarde.

—Hoy mi tío ha recibido un nuevo anónimo.

—¿Otro? ¿Y qué dice?

—Mira –dice Alba enseñándole una nota.

—¿Y qué dice tu tío? –pregunta Jaime.

—Está muy preocupado pero no quiere hacer nada. ¿A qué hora nos vemos mañana? Tengo ganas de conocer a tu amigo el periodista.

—Pues después de tu cita con el alcalde.

—Muy bien. Pero no aquí en el camping. Mejor en el pueblo. Hay que ser discretos.

—¿Dónde?

—Hay un bar en el paseo marítimo, que se llama "Paquito". Podemos tomar algo allí. Hacen un pescadito frito buenísimo. El mejor de la zona. ¡Y unos calamares...!

—Pues mañana a las 10 h en "Paquito".

—OK.

Los dos empiezan a hablar como en una película policíaca.

Cuando Jaime se va, Ibarra sale de su despacho.

—Ah, estás ahí... –dice Alba sorprendida.

—Sí, claro, en mi despacho. Veo que tienes buenos amigos entre los clientes...

—Sí –responde secamente Alba. Lo que significa "a ti qué te importa"–. Voy a Correos y al banco –añade, y se va.

"No lo soporto", piensa.

Después, Ibarra llama por teléfono.

—El Sr. Duque, por favor.

—Está reunido. ¿De parte de quién? –contesta una secretaria.

—De José Luis Ibarra.

—Espere un momento, a ver si le puedo pasar.

Luego se oye la voz de Duque.

—Hombre, José Luis, ¿cómo te va?

—Creo que vamos a tener problemas.

—¿Problemas? ¿Qué problemas?

—La "niña" esta, la sobrina de Gaviria... Tiene una cita con el alcalde, y espera a un periodista de Madrid...

—Ah, ¿sí?

¿¿¿TODAVIA NO QUIERES VENDER???
SI ESPERAS MUCHO PUEDE SER
DEMASIADO TARDE

En la plaza Mayor de Benisol, en verano, algunos artesanos venden sus productos en un "mercadillo": bolsos, pendientes, pañuelos, juguetes... Algunos turistas pasean y otros toman helados en las terrazas de los bares. El Ayuntamiento de Benisol está en la plaza Mayor, en un viejo edificio del siglo XIX, en bastante mal estado.

Son las ocho de la tarde pero todavía hace calor. Vicente Gil, el alcalde, trabaja cada día hasta muy tarde.

—Luego dicen que los funcionarios no trabajan –dice Alba cuando entra.

Vicente es amigo suyo y también su ex profesor. Fue su profesor de Historia en el instituto, cuando Alba tenía 17 años. Desde entonces son buenos amigos.

Hace algunos años, un grupo de profesores e intelectuales se presentaron a la elecciones municipales, como independientes. Querían luchar contra la especulación. Y... ¡sorpresa!: ganaron las elecciones. Ahora Vicente es el alcalde de Benisol. No es brillante pero es eficaz. Es un alcalde trabajador y honesto. Y eso que no es fácil en un pueblo turístico, donde siempre han mandado personajes como Duque. Naturalmente, a Gil no le quieren mucho algunos en Benisol. Duque, por ejemplo.

Gil va cada día a trabajar en bicicleta y escribe poemas. Duque va diciendo por ahí que es un loco, que Benisol puede ser más grande que Benidorm, y que así habría trabajo para todos.

—¿Qué tal, Alba? Te veo muy bien... –dice Vicente al verla entrar.
—Pues no estoy tan bien.
—¿Qué pasa?
—Tengo un problema gordo.
—¿Tú también? Yo tengo varios "problemas gordos" –dice él riendo.

Y es verdad: Gil tiene bastantes problemas. Benisol ha crecido mucho en los últimos años. Tiene 4800 habitantes y faltan servicios. Se necesitan más zonas verdes, más plazas de guardería y más semáforos. En invierno, cuando no hay turistas, el índice de paro es muy alto. Este verano, la delincuencia ha aumentado mucho, por culpa de la situación económica.

Últimamente, un grupo de "cabezas rapadas" crea graves problemas en las discotecas.

Y, el problema número uno: la lucha por conservar Benisol y sus alrededores, ya bastante degradados. Ahora, por ejemplo, el Ayuntamiento quiere crear una zona peatonal en el centro, pero algunos comerciantes no quieren. Dicen que están en crisis por culpa de un nuevo centro comercial, que está en las afueras. El Ayuntamiento tiene poco dinero, poco personal y pocos recursos. Además, como son independientes, no les ayuda ningún partido político.

—Cuéntame tu problema. Los míos son muy aburridos... ¿Puedo hacer algo yo? –pregunta el alcalde.
—Sí, y mucho. ¿Qué sabes tú de un complejo turístico nuevo? En Playa Larga, al lado del camping.
—Duque y compañía han presentado un proyecto y han pedido permisos de construcción. Nuestros técnicos lo están estudiando.
—¿Estudiando? Es una locura, una barbaridad... ¡Van a destruir Benisol!
—Sí, Alba, ya sé que es muy grave. Pero no es tan fácil: hay unos planes urbanísticos, hay unas leyes... Según el plan urbanístico actual, parece que necesitan más espacio. Les faltan algunas hectáreas. Además, está el tema ecológico... Pero como tienen mucho dinero para invertir...
—Les hace falta el Camping Mediterráneo –añade Alba.

CAPÍTULO 10

Alba sigue sentada en el despacho de Vicente Gil. Ha decidido contarle toda la historia del camping.

—Ya sabes que trabajo en el camping de mi tío, ¿no? Estoy haciendo la tesis y esperando encontrar trabajo como bióloga. Y de momento...

—No es fácil para los jóvenes científicos, ya lo sé.

—Bueno, pues, desde hace unos años estoy en el camping. Me ocupo de la recepción, de la oficina y esas cosas.

—Duque y sus amigos dicen que vais a vender el camping. Dicen que estáis negociando...

—¿Negociando? ¡Qué va! –responde Alba–. Nos están amenazando. Y no sabemos qué hacer. Por eso quería hablar contigo.

—¿Amenazando? ¿Qué ha pasado exactamente? –dice el alcalde sorprendido.

—Te voy a contar toda la historia, desde el principio. En 1985, murieron mis abuelos y mi tío heredó unos campos. Varias hectáreas. Entonces, decidió montar el camping. Y ya en ese momento tuvo presiones de Duque...

—¡Duque! Ese maldito constructor. ¡Su ambición no tiene límites! –exclama él.

—Bueno, pues, en 1985, Duque quiso comprarle a mi tío los terrenos del campo para construir un hotel. Pero mi tío no quiso vendérselos. Construyó el camping y hasta ahora ha funcionado bien.

—Sí, lo sé.

—Hace unos meses, Duque le hizo una oferta. Un millón de euros.

—No está mal.

—Pero para mi tío el camping es su vida. No quiere ni hablar de venderlo.

—Claro.

—Pero ahora tiene miedo. Hace unos días llegó una carta anónima. Y ayer, otra. Además, Duque tiene un aliado importante dentro del camping.

—¿Cómo?

—Sí, Ibarra, el director. Son buenos amigos. Ibarra lleva muy mal el camping. Quiere hundirlo. Hundir el camping para obligar a mi tío a vender.

—Pues si hay amenazas, hay que hablar con la policía –dice Gil–. Y con el juez.

—¿Con la policía? –pregunta Alba–. ¿Con Gomis? ¿Confías en él? –Gomis es el comisario de policía de Benisol. A Alba no le gusta mucho.

—No es mala persona –comenta Vicente–. Es un poco antipático, un poco bruto...

—¿No le pueden comprar Duque y los otros? ¡Son auténticos mafiosos!

—Sí, lo sé... Pero en este caso no. Gomis es un hombre recto. No se deja comprar. Si quieres, yo hablo con él.

—¿Y vosotros qué vais a hacer?

—El año pasado Duque y sus socios pidieron permiso para construir un gran complejo turístico. Van diciendo a todo el mundo en el pueblo que van a crear muchos puestos de trabajo para el pueblo.

—¿Y vais a darles permiso? –pregunta Alba.

—Una comisión técnica lo está estudiando. Creo que el departamento de Medio Ambiente no va a hacer un informe positivo. Es una zona muy importante desde el punto de vista ecológico. Yo tampoco estoy de acuerdo con ese proyecto.

—Eso es una buena noticia.

—Alba, no te preocupes. Vamos a encontrar una manera de parar a Duque y a sus amigos. Hoy mismo voy a hablar con Gomis. Tráeme los anónimos.

—En el camping conocí a un chico alemán, muy majo. Tienen un amigo periodista, que trabaja en la tele. Periodismo de investigación. Ha llegado hoy a Benisol y va a ayudarnos. Dentro de un rato voy a hablar con él para contarle todo esto.

—Bien, si salimos en la tele, no va a ser tan fácil para Duque...

Alba sale del Ayuntamiento más animada y más tranquila. Parece que su amigo Gil no quiere el proyecto de Duque para Benisol y está intentando pararlo. Por otra parte, Alba y el alcalde han decidido ponerse en contacto con Gomis, el comisario de policía, y denunciar las amenazas de Duque y sus compinches. "Hay que ser optimista", piensa.

Es casi de noche cuando Alba sale del Ayuntamiento, pensando en la televisión y en los periódicos. Sabe que un artículo en una revista nacional o que un reportaje en la tele pueden ser importantes para salvar la costa de Benisol y conseguir el apoyo de mucha gente en el país. El viento es fresco y agradable, y huele a mar. Alba empieza a caminar hacia el paseo marítimo. Calcula que Jaime y Fernando Valcárcel ya deben estar allí, esperándola en "Paquito".

Alba entra en la calle Mistral, una calle estrecha del barrio viejo en la que no hay muchas tiendas y no pasa mucha gente. De pronto, del portal del número 17, salen dos hombres. Tienen un aspecto muy peligroso y uno tiene, además, cara de boxeador. Alba no tiene tiempo de ver nada más. Siente algo duro y frío en la espalda. "Una pistola", piensa. Nunca ha tenido una en la espalda, pero lo sabe.

—¡Quieta y callada! –dice el de cara de boxeador, que la coge fuerte del brazo.

"Estos trabajan para Duque", piensa Alba muerta de miedo.

Muy deprisa, la llevan al puerto y la meten en un coche deportivo amarillo. Después, nota un pequeño pinchazo en el brazo. "Me están drogando", piensa. Luego, siente una terrible sensación de sueño. Ya no tiene miedo. Solo quiere una cosa: dormir.

El coche con los dos hombres y Alba dormida se pone en marcha. Pasa por el paseo marítimo, justo por delante de "Paquito", el bar en el que Jaime y Fernando la esperan. Luego, el coche gira a la derecha, sigue de frente hasta el final, por una avenida. Gira otra vez y entra en la calle Manuel de Falla. Allí, delante del número 67, el deportivo amarillo se para. Uno de los hombres baja y abre la puerta de un garaje. El otro entra llevando a Alba en brazos. Luego, la calle se queda en silencio. Solo pasa una señora mayor, una viejecita. Pero Alba no ve nada. Está durmiendo como un bebé.

La viejecita es la abuela de los Martínez.

***

Fernando llega a Benisol en su moto unas horas antes, a las 15 h. Jaime le está esperando en el Hostal Rosita.

—Lo siento, no hay ni una habitación libre en todo Benisol. Solo he encontrado esto. Si quieres venir al camping... En la autocaravana hay una cama libre...

—No, no, voy a estar bien aquí –dice Fernando muy diplomático.

Dejan la bolsa de viaje en el hostal y deciden ir al camping.

Cuando llegan al camping, los amigos de Jaime están sentados delante de la autocaravana. Jaime les presenta a su viejo amigo Fernando.

—Este es Fernando –dice Jaime.

—Hola, ¿qué tal? Jaime nos ha hablado mucho de ti.

—Hola, ¿qué tal?

—¿Queréis tomar algo? –pregunta Martha–. ¿Una cerveza?

—Bueno, pero pequeña, ¿eh? –acepta Fernando–. Con este calor...

—¿Qué tal el viaje? –pregunta Eduardo.

—Bien, muy bien, sin problema. No había mucho tráfico. Y, además, en moto es muy agradable.

En ese momento pasa por ahí Martínez, el vecino.

—¿Qué tal? ¿Cómo vamos? –dice.

—Hola, Martínez, ¿qué tal? Mira, te presento a un amigo de Madrid, Fernando.
—Hombre, madrileño, como nosotros...

Martínez siempre tiene ganas de hablar. Martha opina que les visita para descansar de su familia. De la abuela y de los cuatro niños.

—¿Una cerveza fresquita, Martínez? –le ofrece Eduardo.

Martínez la acepta rápidamente y se sienta. Jaime se pone un poco nervioso. Quiere contarle el problema de Alba a Fernando. Pero Fernando está feliz, con sus nuevos amigos y su cerveza.

—Oye, pues es bonito esto. Yo no conocía esta zona –dice.
—Está muy bien –explica Martínez–. Es un camping tranquilo, nada ruidoso, con el mar al lado. Y no es caro... Y en el camping está uno como en casa: tu nevera, tu habitación, tu cocina, tu tele... ¡Hasta el microondas hemos traído este verano!

Y es que la caravana y las tiendas de los Martínez son realmente como una casa. Muebles, electrodomésticos... La abuela ha puesto incluso geranios en la ventana de la caravana.

—Tengo una idea... –dice por fin Martínez–. ¿Por qué no venís mañana a comer una paella? Os la debo. Así conocemos mejor a vuestro amigo... Fernando te llamas, ¿verdad?
—Sí, Fernando.
—Ay, qué pena la del otro día... –suspira Martínez pensando en su paella–. ¡Cómo olía! La mejor de mi vida...
—Es que Martínez es especialista en paellas, ¿sabes? –aclara Jaime–. Hace unas paellas riquísimas.
—No como las de los restaurantes –añade Martínez.

Fernando mira extrañado a Martínez, que se ha puesto de pronto muy triste, y a Martha, que casi no puede controlar la risa.

Luego, aparecen Sófocles y Sócrates. El gato y el perro se han hecho muy amigos y son inseparables.
Martínez les mira con odio, pero no dice nada.

***

A las 10 h Jaime y su amigo Fernando, el periodista, llegan a "Paquito", el bar del puerto donde han quedado con Alba.

—¿Qué van tomar? –pregunta el camarero.
—Yo una caña, ¿y tú?
—Yo otra.
—Dos cervezas... ¿Algo para picar? Calamares, anchoas, pescadito, gambas, pulpo, patatas bravas... –vuelve a preguntar el camarero.
—¿Una de pescadito? –sugiere Jaime.
—Vale, y unos calamares.
—¡Marchando una de calamares y una de pescadito! –grita el camarero a la cocina.

Los dos viejos amigos hace dos años que no se ven y tienen muchas cosas de que hablar. Mientras charlan alegremente, un coche deportivo amarillo pasa frente a ellos.

A las 10.45 h se dan cuenta de que es tarde.

—¡Qué raro! Llega muy tarde tu amiga, ¿no? –pregunta Fernando.
—Sí, es un poco extraño.

Toman dos cervezas más y esperan. Jaime está ya un poco nervioso.

A las 11 h empieza a pensar que ha pasado algo.

—No puede ser. Es una chica muy seria, muy formal. Nunca llega tarde –le cuenta a Fernando–. Vamos al camping. A lo mejor nos hemos entendido mal –propone luego.

A las 11.20 h Fernando y Jaime salen hacia el camping en la moto de Fernando. Primero, Fernando va al bar. Allí habla con Mario, con Manolo y con Concha.

—No, Alba no ha venido por aquí. No la hemos visto... –dice Concha.

—A mí me ha dicho que tenía cosas que hacer en el pueblo, en Benisol –añade Manolo.

—Mario, ¿tú has visto a Alba? –pregunta Concha al cocinero, que sale de la cocina.

—No, no la he visto. ¡Si no he salido de la cocina en todo el santo día...! ¿Por qué?

Luego la buscan en la recepción. Ibarra ya se ha ido. En la oficina solo está Milagros, la señora de la limpieza.

—¿Alba? No, no, por aquí no ha venido –dice ella–. ¿Pasa algo? –pregunta.

—No, no, nada. Quería hablar con ella –miente Jaime.

Preguntan también a Enriqueta, la de la tienda, a Chus y a Tere, las peluqueras, a "Chapuzas"... Nadie la ha visto.

Finalmente, van a casa de Antonio Gaviria, el tío de Alba.

—Antes de salir, me ha dicho que tenía una cita con un amigo y con un periodista –dice el tío.

—Sí, con nosotros...

—¡Esta chica! Siempre se busca problemas... ¿Dónde estará? –suspira Gaviria, preocupado.

***

A las 12 h Jaime y Fernando salen de casa de Gaviria.

—¿Qué hacemos? –pregunta Fernando.

—No sé... Esperar un poco. Vamos a nuestra caravana y tomamos algo –propone Jaime.

Pasan por delante de las tiendas de la familia Martínez.

—Buenas noches –les saludan los Martínez.

—Oiga, joven... ¿Ya está mejor su amiga? –pregunta de pronto la abuela Martínez.

Jaime no entiende la pregunta.

—¿Cómo dice? –pregunta sorprendido.

—Que cómo está su amiga –vuelve a decir la abuela–. Alba se llama, ¿no? Es que esta tarde no estaba muy bien, creo.

—¿Cómo? ¿Por qué lo dice, abuela? –pregunta Jaime nervioso–. ¿Qué ha visto? Cuéntenos...

—Nada, es que esta tarde he ido al pueblo con mis hijos...

—Sí, hemos ido de compras –cuenta la señora Martínez.

—Y hemos dado una vuelta por el pueblo –añade la hija.

—Y nos hemos comido un helado –dice el pequeño.

—Y la abuela se ha perdido –interviene otro de los niños.

—¡Niños, dejad hablar a la abuela! Siga contando, abuela –dice Martínez, impaciente.

Todos sospechan que la abuela va a contar algo importante. Todos callan y la escuchan.

—Pues iba yo con mis hijos paseando tranquilamente... Y, de pronto, se han perdido... Eran las nueve y media o algo así...

—Se ha perdido usted, abuela –dice Maruja.

—Bueno, no importa –sigue la abuela–. Entonces, estaba yo buscándolos y he seguido por una calle. ¿Cómo se llamaba esa calle...? Era el nombre de un músico... ¿Verdi? ¿Beethoven? No... Déjame pensar... Era un músico español...

—Iba usted por una calle, ¿y qué? –pregunta Jaime impaciente.

—Iba yo paseando, mirando... Y de pronto, se ha parado un coche. Un coche amarillo, de esos que van muy rápido y que solo tienen dos asientos...

—Un deportivo –dice la niña.

—Eso –confirma la abuela–. Y del coche ha bajado un hombre. Muy feo, muy feo, feísimo... Alto y feo. Yo he pensado: "Igual de feo que el tío Ramiro el de Villaendrina". Se parecía a...

—Siga, abuela –insiste Martínez.

—Bueno... Pues luego ha bajado otro hombre. Este no era tan feo como el otro...

—¿Y...? –todos le piden que continúe su historia.

—No había nadie en la calle. Bueno, solo yo, que pasaba por allí. Y los hombres del coche, claro –añade la anciana.

Todos la escuchan en silencio.

—Entonces uno de ellos, el feo, ha sacado en brazos a una chica. La chica estaba enferma, creo yo. O dormida, no sé... Al verla he pensado: "¡Anda, pero si es Alba, la del camping! ¿Qué le debe pasar?" Pero no les he dicho nada. La cuidaban los dos hombres muy bien. Han entrado en un edificio y yo he seguido buscando a mi familia. Los

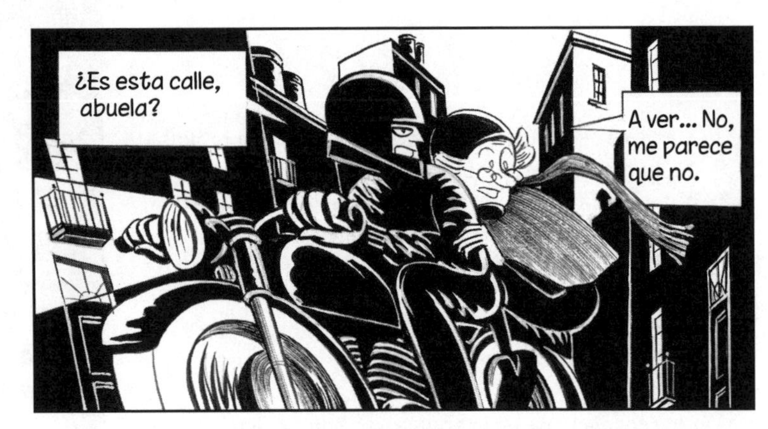

he encontrado comiendo unos helados en una heladería, tan felices...

—¡Abuela, por favor! ... ¿Por qué no nos ha contado antes todo esto? –dice enfadada con su suegra la señora Martínez.

—¿Por qué? ¿Pasa algo? ¿Es importante?

En unos minutos todo la gente del camping sabe que pasa algo grave, que Alba está en peligro. "Han secuestrado a Alba" es la frase que se repite entre empleados y clientes. Gaviria llama a Vicente Gil, el alcalde, y a Gomis, el comisario de policía. Pero Fernando, Jaime y los demás actúan más rápido que la policía...

—Abuela, ¿ha montado usted en moto alguna vez? –le pregunta Fernando a la abuela Martínez.

—Claro. Mi marido tenía una moto cuando éramos novios.

—Pues, suba. Vamos a buscar esa calle. Jaime, ¿tú vienes en coche con Martínez?

—Yo también voy –dice "Chapuzas".

—Y yo –añade Mario, el cocinero.

Todos en el camping quieren buscar a Alba. Incluso los Jensen, en sus bicicletas, salen hacia el pueblo.

Uwe sube al coche de Chus. Con ellos van Sócrates y Sófocles. Salen, a toda velocidad, detrás de la moto de Fernando, hacia Benisol.

Mientras, en la calle Manuel de Falla, Alba empieza a despertarse. Le duele la cabeza y no sabe dónde está.

—¿Qué pasa? ¿Dónde estoy? ¿Quiénes sois vosotros? –pregunta confusa.

—Tranquila, guapa. No pasa nada. Solo has dormido una pequeña siesta –dice el feo y se ríe de su propio chiste.

El feo es "El Ardilla", un conocido "gorila" de Benisol. Trabaja en la entrada de la discoteca "Galaxia", la más importante del pueblo. La discoteca es uno de los negocios de Duque.

—¿Qué queréis de mí? –pregunta Alba.

—De ti nada, bonita –responde el otro hombre.

—Solo queremos darle un pequeño mensaje a tu querido tío –dice "El Ardilla".

—Hay un señor que quiere decirle una cosa: que ese camping es un negocio demasiado peligroso... ¡Hay negocios mucho mejores! Nuestro jefe sabe mucho de negocios.

—Y ahora quédate aquí tranquilita, nosotros vamos a volver mañana por la mañana... Ah, y no vive nadie en este edificio, así que no vale la pena gritar –dice el feo.

Salen y cierran la puerta con llave. Alba empieza a llorar. Tiene hambre y sed, y le duele una rodilla. Tiene sangre en la pierna. Seguramente se ha caído durante el secuestro.

Mientras, una abuela y un joven periodista dan vueltas en moto por Benisol.

—¿Es esta calle, abuela? –pregunta Fernando por décima vez.

—A ver... No, me parece que no. La calle esa era más estrecha. Y no tenía árboles. Ni tanta luz.

Todo el grupo de amigos han decidido registrar todo Benisol, hasta encontrar a Alba.

Preguntan en los bares, en las tiendas. Pero nada, ni rastro. Nadie ha visto a Alba. Solo la abuela Martínez y sus secuestradores.

—¿Qué hora es? –pregunta Fernando cuando se encuentra con Jaime y Martínez.

—Las 2 h –dice Jaime.

—¿Qué hacemos? ¿Seguimos?

—Yo sí. Esa gente es muy peligrosa.

—Sí, ya lo veo –confirma Fernando.

—Y tú vas a tener un buen reportaje para tu programa, una buena exclusiva –dice Jaime con tristeza.

—Venga, ánimo, Jaime. La vamos a encontrar –le dice. Fernando le conoce bien y adivina los sentimientos de su amigo–. Te gusta mucho esa chica, ¿verdad? –le pregunta.

—Sí, creo que sí –confiesa Jaime–. Es una mujer especial. Últimamente estaba un poco deprimido, ¿sabes? Me sentía solo. Pero desde el día en que la conocí...

—Dios mío, ¡qué mala suerte!: una vez que Jaime se enamora y nos secuestran a la chica –dice Fernando tratando de quitar dramatismo a la situación.

De pronto, Sócrates, el nuevo perro de Uwe, entra corriendo en la pequeña y oscura calle donde están Jaime y Fernando. Detrás van Sófocles, Uwe y Chus.

—¡Sócrates! ¿Adónde vas? –grita Chus.

Sócrates se para delante de una puerta. Empieza a olerlo todo y a ladrar muy fuerte. Guau, guau, guau... No para de ladrar delante del número 67, un edificio gris de tres plantas, que parece abandonado.

—¿Cómo se llama esta calle? –pregunta Fernando.
—Manuel de Falla –dice Chus.
—¡Un músico español! –gritan Fernando y Eduardo al mismo tiempo.
—¡Sócrates la ha olido!
—¡Alba está ahí dentro! ¡Hay que abrir esa puerta! ¡Albaaaaa! –grita angustiado Jaime.
—Mira, hay sangre en el suelo –dice Chus–. Puede estar herida.
—Pues esta calle no me suena nada –dice la abuela Martínez–. ¡Esta cabeza mía...!

La policía llega enseguida y tira la puerta abajo. Una ambulancia llega también en pocos minutos. Pero Alba está bien, asustada pero bien. Solo tiene una pequeña herida en la rodilla.

Poco a poco, delante del número 67, se reúne mucha gente: están todos los compañeros del camping, algunos clientes como los Jensen, Gil, el alcalde...

Alba tiene que acompañar a Gomis, el comisario de policía.

***

Al día siguiente todos están ya más tranquilos.

—La policía ha detenido esta madrugada a "El Ardilla", en la discoteca –les dice Alba a Fernando y a Jaime–. Además, hay muchas pruebas contra Duque. Dice Gomis que se puede demostrar que él está detrás de todo.
—Esperemos –añade Antonio Gaviria.
—Y ahora, lo siento, pero yo he venido a trabajar –aclara Fernando sacando una pequeña grabadora.
—Oh, no...
—¡Esto va a ser un reportaje impresionante! ¿Cómo empezó todo? –le pregunta Fernando a Gaviria con voz de locutor de la televisión.

Como consecuencia del secuestro de Alba, todo Benisol conoce ya los planes de Duque: la construcción del nuevo complejo turístico en los terrenos del camping. La gente también sabe que el Ayuntamiento tiene dificultades para impedirlo.

En el bar del camping se reúnen unas 60 personas. Enriqueta, la del supermercado, se ha convertido en el líder de la movilización:

—Hay que hacer algo. ¡Esto no puede ser! –grita Enriqueta a los reunidos–. Hay que defender el camping!

—Sí, señor, bien dicho –grita Martínez, que está en primera fila.

Hasta la señora Bibiana y su marido participan.

—Podemos escribir a todos los periódicos y hablar con las cadenas de televisión –propone un cliente.
—Eso, eso... ¡Publicidad! ¡Todo el mundo tiene que saber qué pasa en Benisol! –dice Mario, el cocinero.
—¡Abajo la especulación capitalista! –grita de pronto la abuela Martínez–. Es que mi padre era anarquista, cuando la guerra, ¿sabe usted? –le dice a un señor que está a su lado.

Al final, después de mucha discusión, deciden organizar una manifestación en defensa de la costa de Benisol.

Al día siguiente, Jaime va a buscar a Alba a la recepción.

—Esto no ha terminado –dice Alba–. Van a intentarlo otra vez, dentro de un tiempo. Esta gente es muy peligrosa. Solo les interesa ganar dinero rápido.
—Sí, pero de momento... La gente de Benisol está informada. Van a luchar.
—Eso espero. Quizá podamos estar un tiempo tranquilos. ¿Vienes a la playa a dar un paseo? Hace mucho calor, ¿no?
—¿Y tu tesis?
—Después. Necesito descansar un poco.
—Sí, han sido unos días muy intensos... –responde Jaime pensando en sus propios sentimientos.
—Muy intensos –dice Alba con una sonrisa cómplice.
—¡Qué romántico! –dice Chus, la peluquera, que los ve pasar–. No hay nada como el amor. ¿Verdad, Uwe?